Des diamants sous la neige

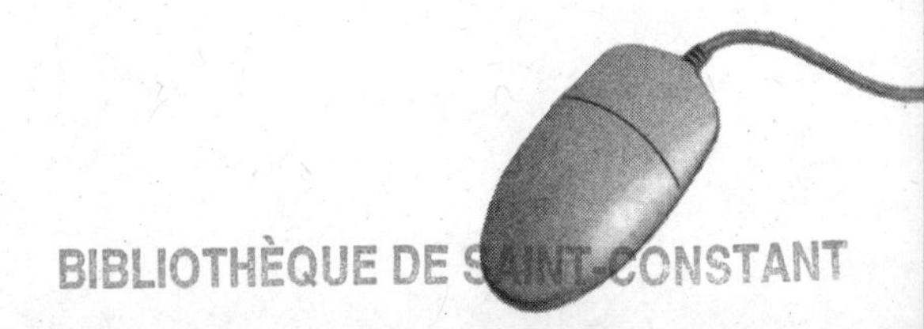

Du même auteur
chez le même éditeur

Swampou, roman, 1999

Aux éditions du Boréal, jeunesse

Trafic, roman, 1989

L'ours de Val-David, roman, 1990

Blues 1946, roman, 1991

Otish, roman, 1992

Roux le fou, roman, 1993

La sonate d'Oka, roman, 1994

Canaille et Blagapar, roman, 1995

Gérald Gagnon

Des diamants sous la neige

case postale 36563 — 598, rue Victoria
Saint-Lambert (Québec) J4P 3S8

Soulières éditeur remercie le Conseil des Arts du Canada et la SODEC de l'aide accordée à son programme de publication et reconnaît l'aide financière du gouvernement du Canada par l'entremise du Programme d'Aide au Développement de l'Industrie de l'Édition (PADIÉ) pour ses activités d'édition. Soulières éditeur bénéficie également du Programme de crédit d'impôt pour l'édition de livres – Gestion Sodec – du gouvernement du Québec.

Dépôt légal: 2007
Bibliothèque nationale du Canada
Bibliothèque nationale du Québec

Données de catalogage avant publication (Canada)

Gagnon, Gérald

Des diamants sous la neige

(Collection Graffiti ; 40)
Pour les jeunes de 11 ans et plus.

ISBN 978-2-89607-056-5

I. Titre. II. Collection.

PS8563.A324D47 2007 jC843'.54 C2006-941936-1
PS9563.A324D47 2007

Illustration de la couverture :
Jean-Pierre Normand

Conception graphique de la couverture :
Annie Pencrec'h

ISBN-13: 978-2-89607-056-5

58940

À Cindy, François et Justin.

PROLOGUE

Björn est mort. L'hiver dernier, vers la mi-janvier. Centenaire ou presque. Leifr me l'a appris, hier, au téléphone.

Des Montagnais ont trouvé son corps gelé aux abords de la rivière Savane. Un corps intact, épargné par les bêtes.

Rassasié d'ans, Björn, laissant le froid engourdir sa vieille carcasse, a paisiblement rejoint le paradis de ses ancêtres. C'est ce qu'il me plaît d'imaginer.

Leifr m'a libéré de mon serment. Après tant d'années, je peux enfin tout dire.

Il m'a aussi donné des nouvelles de sa sœur, Vigdis. Elle va bien, Dieu merci. Vigdis. « Appelle-moi plutôt Gljulfra[1]», m'a-t-elle dit un jour.

Je m'appelle Patrick Labedan. J'ai vu le jour en France, sur les bords de la Loire, pays que j'habite toujours d'ailleurs, mais les faits rapportés dans ce livre sont survenus à des milliers de kilomètres, au cours d'un hiver d'une rudesse inconcevable ici.

---

1. Gljulfra : rivière du gouffre, en vieil islandais

J'avais alors quinze ans.

L'été précédent, Papa, qui était géologue, avait installé sa famille à Montréal d'où il partait faire des études de terrain pour Hydro-Québec. À lui les grands espaces, à moi la ville.

Je m'acclimatais mal. Je fréquentais une polyvalente surpeuplée, mais je ne parvenais pas à nouer de vraies amitiés. Les élèves que j'abordais, ces descendants d'explorateurs, de trappeurs, de trafiquants de fourrures portaient plus d'intérêt aux jeux vidéo qu'à leur vaste et encore mystérieux pays. Cela était et reste d'ailleurs pour moi une énigme.

Je m'ennuyais beaucoup et broyais du noir. Mes insomnies fréquentes, une digestion difficile inquiétaient mes parents. À leurs yeux, je risquais la neurasthénie.

Il fallait me secouer, me distraire de mes sombres pensées. J'accompagnerais donc mon père dans une région qu'il avait visitée l'été précédent et qu'il voulait revoir sous ses habits d'hiver. Ma santé valait bien une semaine ou deux de cours.

Le 10 janvier donc, Papa et moi décollions de l'aéroport de Saint-Hubert. Le récit qui suit fait état des extraordinaires péripéties de ce qu'il me plaît encore d'appeler, vingt ans plus tard, l'*Aventure de ma vie*.

1

LE NORD DU NORD

L'hélico est un Schweizer Hughes
à trois places.
Musique.
Franc-nord, notre destination.

À NOTRE ARRIVÉE AU PETIT AÉROPORT DE SAINT-HUBERT, L'AVION AVAIT DÉJÀ QUITTÉ LE TARMAC ET NOUS ATTENDAIT SUR LA PISTE.

Un bimoteur Piper Aztec pour six passagers, m'a dit Papa, mais nous serons seuls avec le pilote. Si tout va bien, nous atterrirons à Chibougamau à 21 heures.

— C'est notre destination ?

— C'est plutôt notre base de départ.

— Pour se rendre à quel endroit ?

— Nous en parlerons une fois à bord. Viens, le pilote nous attend.

Nous nous sommes dirigés vers l'appareil dans un froid à couper le souffle. Les étoiles devaient scintiller en diable derrière le halo lumineux de la ville. Nos pas crissaient sur la neige durcie, comme si on écrasait du cristal. L'air sec charriait de l'aventure. Je commençais à apprécier mon nouveau pays.

Nous sommes montés à bord de l'appareil. Quatre sièges manquaient qu'on avait remplacés par une table. À peine avions-nous bouclé nos ceintures que le Piper Aztec perçait la nuit et filait vers les étoiles.

— Fred est un pilote de brousse, m'a soufflé Papa.

— Notre cabine baignait dans la pénombre ; un pas me séparait du poste de pilotage éclairé par un lumignon et le tableau de bord. Des kilomètres sous nos pieds, les feux s'espaçaient, moins nombreux maintenant que ceux qui nous venaient du ciel. Nous nous étions arrachés à l'aire lumineuse de la grande ville.

— Vous pouvez déboucler vos ceintures, a lancé Fred, en même temps que la cabine s'éclairait.

Papa s'est approché de la table. Une carte du Québec s'y étalait.

— Viens que je te montre.

De son index, il a pointé Chibougamau.

— Notre camp de base. Huit mille habitants. Nous y serons dans un peu plus d'une heure.

— C'est ce qu'on appelle le Nord ici ?

— Si tu veux, mais il y a mieux...

Il a posé une main sur la carte, au-dessus de Chibougamau et a ajouté :

— Il y a le Nord du Nord : deux fois la France et moins peuplé que notre bonne vieille ville de Blois. Ah ! La Loire et ses eaux tranquilles... la douce France. Je te préviens : ce Nord du Nord en est aux antipodes.

Fred s'est tourné vers nous pour sa première annonce.

— Nous survolons le grand lac Kempt. Dommage qu'il n'y ait pas clair de lune, on pourrait le voir. Ça ne vous dérange pas que je vous nomme les stations, comme dans le métro ?

— D'accord, a répondu mon père, mais ne t'y arrête pas.

Le reste du vol fut donc ponctué des annonces de Fred : rivière Manouane et lac du Déserteur ; rivières Némiscachinge, Wanabo et du Loup ; lacs Ménégousse, Surprise, à l'Eau Jaune... Des toponymes[1] sonores, colorés, à saveur d'aventure. De quoi rêver et je ne m'en privais pas. Des milliers de rivières et peut-être un million de lacs si j'en croyais la carte.

1. Toponyme : nom de lieu.

— Lac Chibougamau, a enfin lancé Fred. Large de vingt kilomètres, long de trente. Attachez vos ceintures, nous allons atterrir. Ne respirez pas trop fort en descendant de l'avion, vous pourriez vous geler les poumons.

J'ai regardé le paternel.

— Ne t'inquiète pas, ce n'est pas fréquent.

Mes premières heures à Chibougamau m'ont déçu. Certes, je ne m'attendais pas à coucher dans un iglou ni à manger du pemmican[2], mais encore moins à dormir dans une chambre d'hôtel ultra-confortable et, au petit-déjeuner, à déguster des crêpes au sirop d'érable. Je m'en suis étonné auprès de Papa.

— Ce n'est qu'un mince vernis. Pour un temps, à cause des mines de cuivre et des chantiers d'Hydro-Québec, il circule ici beaucoup d'argent. Mais que survienne une baisse du cours des métaux alliée au parachèvement des travaux de construction de lignes… Alors, kaput la prospérité.

De ma place, j'avais vu sur le jardin. *Un jardin de neige et de givre,* aurait dit le poète montréalais Émile Nelligan. Trois petits

2. Pemmican : préparation de viande concentrée et séchée : bison, orignal, caribou… selon l'endroit et les disponibilités.

sapins émergeaient de la croûte glacée. Le ciel était couvert, mais le soleil perçait parfois. Alors, les ombres bleues des sapins chatoyaient sur la croûte, et c'était comme si elles dansaient. On aurait dit des gnomes, des lutins.

— Tu ne m'écoutes pas ?

Je me suis excusé et Papa a poursuivi.

— Tu connais Dawson City ?

— Au Yukon ?

— Oui. Au début du XXe siècle, à l'époque de la ruée vers l'or, la ville comptait dix mille habitants. Vingt ans plus tard, ils étaient moins de mille. Les filons taris, les illusions se sont envolées, les hommes aussi. La vraie richesse du Nord québécois n'est pas économique. Elle est… je dirais spirituelle dans un certain sens, et elle est immense. Voilà pourquoi, parmi toutes les contrées que mon travail m'a fait connaître, j'ai choisi le Québec. Je veux y vivre à demeure. J'aime ce pays d'un amour passionnel que je souhaite te voir partager.

— Et Maman ?

— Elle aime la vie urbaine. C'est pourquoi nous vivons à Montréal. Crois-moi : elle ne regrette pas notre ville de province. Tiens ! Voilà Ti-Pit.

La veille, à notre arrivée à l'hôtel, nous avions croisé Arthur Laframboise dans le hall. Papa le connaissait et me l'avait présenté. C'était un petit homme d'environ soixante ans, tout en nerfs, aux yeux d'un bleu intense dans un visage aussi rouge que sa chemise de chasseur. Après échange de politesses, mon père et Laframboise avaient convenu de se revoir au petit-déjeuner, plus correctement appelé déjeuner, au Québec.

— Tu peux m'appeler Ti-Pit, m'avait dit Laframbroise en nous quittant. Comme tout le monde.

— Ti-Pit est un prospecteur, m'avait renseigné Papa, une fois installé dans notre chambre. Un riche médecin le finance. Jusqu'ici en pure perte, car il n'a encore trouvé aucun filon exploitable. Je le soupçonne de préférer les beaux lacs aux filons. Il a un temps prospecté au nord-est du lac Mistassini, une contrée mystérieuse qu'il saura te décrire mieux que moi.

— C'est notre destination ?

— Oui.

Mais revenons à ce déjeuner de notre premier matin à Chibougamau. Un nuage vient de cacher le pâle soleil et la pièce s'est assombrie. Une neige dure et sèche martèle les vitres maintenant. Ti-Pit nous parle du grand lac Mistassini. Il se tourne vers moi.

— Long de cent trente kilomètres et large de vingt, mon garçon, et bourré de poissons. Il y en a tant, ils sont si affamés qu'il faut se cacher pour fixer l'appât à la ligne. Sinon, ils nous sautent dessus ! Des poissons gros comme…

Papa lui coupe la parole. Ce qui l'intéresse se situe au nord-est du lac Mistassini.

— Tu ne vas quand même pas prétendre que ces poissons étaient aussi gros que tes orignaux géants…

Presque aussi vite que ses poissons, Ti-Pit mord à l'hameçon. Et de nous raconter en long et en large ses aventures au sein des monts Otish et autour, de nous parler d'un voyage, en compagnie de Jacques Rousseau, alors directeur du jardin botanique de Montréal, en ces contrées sauvages.

— Il riait de moi lorsque je lui parlais d'orignaux de huit cents kilos et plus. Il a cessé lorsque je lui ai montré les traces. Il s'est tapé le front et m'a dit : « Je ne comprends pas. L'orignal a besoin de nénuphar pour vivre et se reproduire or, nous le savons, le nénuphar ne pousse pas au nord du lac Mistassini. C'est sa limite naturelle. » Le lendemain, je l'ai conduit à une vallée farcie d'étangs à nénuphars.

— C'est là qu'il s'est tapé le front à nouveau, a dit Papa qui connaissait le fin fond de l'histoire, et qu'il t'a regardé avec admiration.

— Oui. Il n'avait pas pensé au microclimat de ces vallées encaissées, protégées des vents du nord.

Pendant que nous dégustions notre deuxième café, Ti-Pit, intarissable, a continué à nous entretenir du Québec sauvage, de la région des monts Otish, surtout.

— C'est le pays du partage des eaux. Se déverseront-elles dans un affluent du Saint-Laurent ? Couleront-elles vers la baie James ou vers la baie d'Hudson ? Elles hésitent, forment des mares, des étangs, de petits lacs, attendent que se présente une vallée accueillante…

Dehors, c'était le *white out* maintenant. Une blancheur telle qu'on ne voyait plus rien. Un *jour blanc* pire qu'une *nuit noire*.

Ti-Pit nous parla longtemps, ce matin-là, assaisonnant son discours d'une bonne dose de fantasmagorie : vallée des têtes coupées, Amérindiens blonds, poissons sautant d'un lac à l'autre… Avant de nous quitter, sur le ton de la confidence et après avoir vérifié que personne n'écoutait, il nous a révélé que le coin regorgeait de diamants.

Et si c'était vrai ?

Le blizzard a duré trois jours. Trois jours à me morfondre, les yeux rivés à la fenêtre, à contempler de la blancheur. Et rien d'autre à lire que les fades magazines du hall de l'hôtel. L'après-midi du 13 janvier, n'en pouvant plus, je suis sorti affronter le fameux *white out*.

— Ne t'éloigne pas trop de l'hôtel, m'a conseillé Papa.

À peine avais-je fait quelques pas à l'extérieur que j'en étais déjà fort loin. J'étais plongé dans un monde étrange et silencieux, n'était le sifflement de la neige.

Personne dans les rues : ni véhicule ni piéton.

Pour ne pas me perdre, je rasais les façades. Parvenu à un coin de rue, je ne me suis pas hasardé à traverser l'artère. Plutôt, j'ai contourné le coin dans l'intention de faire le tour du bloc. Cette manœuvre devait immanquablement me ramener à l'hôtel.

C'est à ce moment-là que nous nous sommes heurtés, pas loin du coin de la rue, devant un petit café où nous sommes entrés après nous être mutuellement excusés.

Elle était blonde, grande, de ma taille en fait. Des yeux bleus à reflets vert jade.

Le temps de siroter un café en échangeant des banalités, le blizzard s'était enfin calmé. Il neigeottait à peine maintenant.

— Demain, je retourne chez moi, m'a-t-elle dit enfin.

— C'est loin ?

— Quelque part au nord.

— Au nord du nord ?

— Si tu veux.

— Je me nomme Patrick. Et toi ?

— Vigdis…, mais je me suis donné un autre nom : Gljulfra, ce qui veut dire rivière du gouffre.

À part nous, seul un vieux couple occupait la salle. Lui mangeait ; elle ne touchait pas à son assiette et regardait par la fenêtre. Ne se parlaient pas.

— Mes loups m'obéissent, tu sais.

— Quoi ?!

— J'ai dit que mes loups m'écoutent. Ils te boufferaient si je leur en donnais l'ordre. Tu ne me crois pas ?

— Tu te paies ma tête !

Elle a souri. Deux gamins sont passés devant la fenêtre, emmitouflés comme des poupées russes.

— Tu es Suédoise ?

— Ma famille est de souche islandaise. Bon, on m'attend. On se reverra, j'espère. Salut !

Une drôle de fille. J'ai pris un autre café et j'ai regagné l'hôtel.

— Aide-moi à ranger nos affaires, m'a dit Papa à mon entrée dans la chambre. Nous partons demain à l'aube.

Je suis à Chapais, à vingt-huit kilomètres de Chibougamau.

À Chapais, il y a un héliport.

Des hélicoptères en partent pour le Nord du Nord.

Papa et moi montons à bord d'un appareil.

Le pilote se nomme Harry. C'est un Américain, un vétéran de la guerre du Vietnam.

L'hélico est un Schweizer Hughes à trois places, vitré jusqu'à nos pieds : une vue imprenable, mais un bruit infernal. Pour nous en protéger, nous avons des écouteurs.

Musique.

Un peu de surplace.

L'appareil pique un peu du nez et fonce enfin franc nord.

Rappelez-vous : j'ai quinze ans et j'ai soif d'aventures.

2

CATASTROPHE

Est-ce le haut ?
Est-ce le bas ?
Ciel ! Tout est blanc.

AU FUR ET À MESURE QUE NOUS LES SURVOLONS, PAPA M'INDIQUE DES POINTS SUR LA CARTE: LAC WACONCHI, RIVIÈRE BARLOW, LACS LEMIEUX ET BÉDARD…

— *Look !*

De son pouce abaissé, Harry pointe le sommet d'une colline pelée. Niché dans un amas de neige, un orignal s'y prélasse. Nous nous plaçons à sa verticale, nous descendons vers lui… Ennuyé, l'animal quitte son hamac d'hiver et regagne la forêt d'un pas de sénateur.

Nous croisons la route du Nord, déserte d'un horizon à l'autre. Elle mène à Nemiscau, à Chisasibi, à la baie James ; nous passons les lacs Armagnac, Artaud, Savignac et Déroussel ; nous virons à droite, le cap droit sur le soleil.

Pourquoi ?

Papa a soulevé un de mes écouteurs ; il me parle à l'oreille.

— Nous nous dirigeons vers Manic 5. Je tiens à ce que tu voies le barrage.

Sous nos pieds s'étend une mer glacée : l'immense étendue des lacs Mistassini et Albanel et leurs chapelets d'îles. Une dizaine de bêtes courent d'une île à l'autre.

Nous sommes arrivés à Manic 5 en fin d'après-midi. Aujourd'hui encore, je revois l'immense ouvrage aussi nettement que si je l'avais visité hier. Un barrage à voûtes multiples, le plus grand au monde en son genre, avec je ne sais plus combien de milliards de tonnes d'eau sur son dos. Et une telle légèreté dans la ligne : des arabesques sur fond d'âpre nature. Il a fallu que je me tienne au-dessus de la voûte centrale, que je parcoure des kilomètres de couloirs à l'intérieur de l'œuvre pour en apprécier le gigantisme.

Comme pour la tour Eiffel, on avait su faire gros et beau.

— Le béton est truffé de cordes à piano, nous a informés le guide, un ingénieur à la retraite qui avait contribué à la construction de la merveille.

— Des cordes à piano ?

— Oui, dans tous les sens. Leur étirement mesure les tensions subies par le béton. Un ordinateur vous analyse ça en deux temps trois mouvements.

La visite terminée, nous avons loué une motoneige pour nous rendre au lac Paradis. Il faisait -42°, facteur éolien exclu. Or, il vente toujours sur une motoneige en marche. J'ai eu beau appuyer ma tête sur le dos de mon père, mon visage porte encore de minuscules marques d'engelures subies durant le trajet.

À notre arrivée au lac, quatre hommes pêchaient par un trou dans la glace, pas loin d'un avion chaussé de skis. Ils buvaient au goulot d'une bouteille qu'ils se passaient de main à main et échangeaient à tue-tête des propos grossiers.

Des rustres.

Des épais, dirait un Québécois.

— Cette nuit, m'a dit mon père, profite bien du confort de la pourvoirie. Demain, nous devrons construire notre propre abri.

— Par ce froid ?

— Oui

— Comment ?

— Avec ce qui se trouve dans la trousse de survie.

Je l'avais vue dans l'hélico : un boudin de la grosseur de mon torse, long d'un mètre et demi.

— Ce sera suffisant ?

— Oui.

J'avais beau avoir confiance en mon père, mon tour de motoneige m'avait rendu méfiant.

Le lac Paradis, un peu au nord de Manic 5.

Nous logeons dans une pourvoirie tenue par un ami de Papa. J'ai une chambre pour moi seul, ce que me convient tout à fait, car mon paternel a la mauvaise habitude de ronfler.

La journée a été bien remplie et j'ai sommeil, mais les bribes d'une conversation provenant de la chambre d'à côté me tiennent en éveil. J'en saisis qu'on parle d'Amérindiens blonds et de diamants.

— Ils ne seraient que quatre, dit une grosse voix. On va en venir à bout en un tour de main.

— Ils appellent leur camp l'Ermitage. C'est dans les Otish, du côté du mont Stefansson. C'est tout ce qu'on sait de son emplacement.

— Ce ne sera pas facile de le trouver.

— Plus que tu penses. Ils ne peuvent quand même pas se déplacer sans laisser de traces dans la neige. On va ratisser le coin du haut des airs. Crois-moi, on va le trouver, leur maudit camp.

— Pis on va s'en mettre plein les poches.

— Chut ! Ne parle pas si fort.

Je ne perçois plus que des murmures entrecoupés de jurons sonores et de rires gras.

Je pense à la journée qui vient de s'écouler.

Je m'endors.

L'avion est parti. Le vent a même effacé ses traces. Aucun vestige du trou qui a servi pour la pêche : l'œuvre du froid. L'épaisseur de la glace ? Un bon mètre, au moins. Quelle tranquillité dessous !

Je marche sur le lac Paradis qui n'a rien d'un étang, mais je me rêve sur une étendue beaucoup plus vaste. Il fait nuit. Le vent a soufflé la neige. Mistassini est une immense patinoire. Je suis Inouk, le prince de Baffin ; j'ai aux pieds de longs patins. Tsch... tsch..., les lames entament la glace du grand lac Mistassini. Je file comme le vent. La lune se lève : clapotis d'argent, éclats de cristal. Je vole vers Gljulfra, ma princesse d'Islande. Sous les grands sapins noirs brillent les yeux éblouis des wapitis tapis...

— Le déjeuner est prêt, me crie Papa de la rive.

Une fois de plus, le goinfre l'emporte sur le poète : je cours vers le chalet.

Le repas est plantureux : œufs, bacon, fèves au lard et ce genre de pâté de porc qu'on appelle cretons au Québec. Je mange comme un ogre. Décidément, mon appétit est revenu. Aimé Laforge, le gérant de la pourvoirie, déjeune avec nous.

— T'ont-ils dit ce qu'ils venaient faire par ici, Aimé ?

Papa s'inquiète des quatre individus louches qui sont repartis à l'aube, à bord de leur avion muni de skis.

— Ils se sont présentés comme des prospecteurs.

— Des prospecteurs en hiver ?

— Tu sais : on peut tout faire aujourd'hui du haut des airs, avec les instruments appropriés. Deux autres avions se sont posés cette semaine avec, à bord, au moins une dizaine de prospecteurs.

J'interviens dans la conversation :

— Ils veulent dévaliser un camp. Je les ai entendus cette nuit.

— Dans les environs ? demande Papa.

— Dans les Otish.

Laforge et mon père éclatent de rire.

— Il n'y a rien dans les Otish, me dit Papa.

Aurais-je rêvé ?

Un dernier café... nous enfilons parka et mitaines et courons vers l'hélico. Nos bagages sont déjà à bord.

Nous décollons dans un tourbillon de neige et mettons le cap sur la rivière Péribonca.

Le premier acte de la tragédie s'est joué aux sources de la rivière Péribonca, près du mont Yapeitzo. Du mont Stefansson, un voisin du nord-est, a soudain surgi une forte bourrasque qui a fait vasciller l'hélico comme la flamme d'une chandelle, comme si la montagne avait soufflé dessus. Harry a regardé Papa.

— *Conflans lake?* a-t-il crié.

Mon père a approuvé de la tête et m'a crié à son tour :

— Nous allons nous poser au lac Conflans et attendre que ça passe. Harry connaît le coin. Ces coups de vent sont fréquents par ici, mais ils ne durent pas.

J'ai consulté la carte. Le lac Conflans se trouvait à environ vingt-cinq kilomètres, à moins dix (ouest-nord-ouest). Nous serions bientôt en sécurité. Poser un hélicoptère sur un lac gelé est un jeu d'enfant pour un as comme Harry. Je l'avais vu faire, le matin même, quand il était venu nous prendre au lac Paradis, au cours du dernier repas que j'ai partagé avec Papa.

Harry fait ce qu'il faut pour éviter la catastrophe. Les coups de vent augmentant en force et en fréquence, il a pris de l'altitude puis, constatant que c'était pire en haut, est vite redescendu. Nous rasons les crêtes maintenant… et voilà que nous perdons encore de l'altitude pour nous engouffrer dans un col que j'identifie comme la passe des Deux Bernaches. À l'approche de l'esker[3] du Pied de Loup, l'hélico pique du nez, comme si des rafales venues d'en haut essayaient de le rabattre sur la taïga. Devant nous : une vaste étendue dénudée.

Le lac Conflans ?

J'ai étalé la carte sur ma table de travail. Une carte à l'échelle 1: 250 000 ; beaucoup plus précise et détaillée que celle que je consultais, il y a plus de vingt ans déjà, dans

3. Esker : conglomérat d'alluvions charriées par les glaciers, formant des crêtes rectilignes ou sinueuses. Nombreux dans la région des monts Otish, les eskers s'étirent du sud-ouest au nord-est sur des distances pouvant atteindre vingt-cinq kilomètres.

la cabine étroite d'un hélicoptère en perdition. Commandée à *Publications Québec,* on me l'a livrée hier.

Éric, mon fils de cinq ans, frappe à la porte de mon bureau ; une porte-fenêtre qui donne sur la pelouse et la Loire. Je lui ouvre. Il tient une pierre qu'il me montre. Lorsqu'on la bouge, une de ses faces clignote au soleil. Des insertions de mica qui, pour Éric, sont des diamants aussi précieux que ceux des monts Otish. Vigdis en possédait quelques-uns qu'elle rangeait dans un coffret, mais qu'elle ne portait jamais.

Étic retourne à ses jeux, je reviens à ma table de travail.

Mon doigt trace un itinéraire sur la carte. La Péribonca derrière nous, nous avions survolé le mont Yapeitzo ; via la passe des Deux Bernaches, nous étions sur le point d'atteindre le lac Conflans lorsque…

Petit à petit, la carte me permet de réunir des souvenirs épars en un tout cohérent ; de comprendre pourquoi nous nous sommes retrouvés à environ quatre kilomètres au nord-ouest du lac Conflans et à quelque huit kilomètres de la rivière des Quatre-temps.

Le lac Conflans ! Droit devant nous. Ce ne peut être que lui. Sur notre droite s'élève le mont du Chicouté dont les pentes nous protègent des terribles rafales. J'estime que moins de cinq kilomètres nous séparent du lac. Un hélico vous franchit ça le temps de le dire. Nous sommes pratiquement arrivés à bon port.

Plus que quatre kilomètres.

Moins de trois, maintenant. Nous allons atterrir. Mais pourquoi montons-nous alors, et si vite ?

Vingt ans après les événements, je comprends enfin.

Nous avons dépassé le mont du Chicouté, mais nous ne sommes pas encore à l'abri des pentes qui protègent le lac. Entre les deux existe un couloir et le vent s'y engouffre avec une violence redoublée. Un vent qui nous prend de travers et nous souffle au-dessus du lac et des sommets qui le bordent au nord. L'hélico tremble, tourbillonne comme une feuille morte ; nous basculons.

Est-ce le haut ?
Est-ce le bas ?
Ciel et terre, tout est blanc.
Un choc terrible.
Je perds conscience.

3

DEUX MARQUES D'AMOUR

Savais-tu que le cap Éternité
cause avec la lune
de toute éternité ?

L'HÉLICOPTÈRE S'ÉTAIT ÉCRASÉ. JE NE LE RÉALISAIS PAS ENCORE, CAR J'ÉTAIS INCONSCIENT. DES IMAGES DÉFILAIENT POURTANT dans mon esprit. Des images qui me hantent parfois la nuit, vingt ans après l'événement et qui se mêlent aux souvenirs de ce qui s'est réellement passé.

Un amas de détritus. Des loups au regard froid y fouillent. Les loups me regardent pardessus leur épaule. Une patte de devant repliée sur la poitrine alors que l'autre fourrage, deux grands loups blancs me regardent.

Leurs yeux sont de glace…

Je reprends peu à peu conscience. J'émerge au sein d'un silence effrayant. Comme je domine Harry, j'en déduis que l'appareil s'est écrasé sur le nez. Il a aussi basculé du côté droit.

Mon père gît sur le sol. Le moteur a défoncé l'habitacle derrière son dos et a brisé le siège.

— Papa !

Du sang coule de sa bouche, mais il respire. Il est inconscient.

Je ressens une grande fatigue. C'est comme si j'implosais.

Je perds à nouveau conscience.

Nous marchons vers une église. Je ne vois pas mon père, mais je le sais à mes côtés. L'air charrie des saveurs étranges, des feux luisent aux fenêtres. Nous montons vers l'église de briques rouges. Derrière le clocher, le ciel est bariolé de bleu, d'ocre jaune et de rose. Nous passons sous un réverbère transi. Il est transi, je le sais. Un écureuil y grimpe.

Cou-ah-cou cou!

— Savais-tu, me demande Papa, que le cap Éternité cause avec la lune de toute éternité?

Cou-ah-cou cou!

— Il se situe aux confins des saisons, ajoute-t-il. Nous y allons.

J'ouvre les yeux.

La cabine baigne dans une blancheur laiteuse.

J'entends gémir, comme à travers de la ouate.

La tête me tourne.

Il n'y a plus d'église, maintenant, mais une lumière brille au bout du fjord gelé dans lequel nous cheminons. Un prêtre nous accompagne. Il est grand, sa démarche est solennelle; il porte une pelisse ocre et mauve; il serre une custode[4] *sur sa poitrine.*

Cou-ah-cou cou!

Je reconnais la plainte d'une tourterelle triste.

Est-ce le froid qui m'a réveillé ? Les gémissements de Papa, pourtant si faibles ? De ma place, j'aperçois une dalle noire sertie de coulées de glace. Il est 14 heures 20 à ma montre toujours intacte.

Et moi ?

Je change de position, je me tâte partout. J'ai bien un peu mal aux côtes, mais tout le reste semble aller. Harry a la tête appuyée au tableau de bord. Je la lui relève : il est mort.

— Patrick...

Je me tourne vers Papa qui a repris conscience.

— La trousse, Patrick... la trousse de survie...

— Laisse-moi t'aider avant, Papa.

— Ne me touche pas ; j'ai le dos brisé.

4. Custode : petite boîte ronde qui renferme l'hostie.

Je me rappelle avoir récupéré la trousse de survie à l'arrière de mon siège ainsi que trois gros sacs de couchage. Avec deux sacs et une cordelette trouvée dans la trousse, après mille précautions prises à cause de l'état de son dos, j'ai pu isoler Papa du froid épouvantable de l'habitacle. J'allais me glisser dans le troisième sac lorsqu'il m'a demandé s'il faisait encore jour.

— Tu ne vois plus ?

— Non. Réponds à ma question.

— Nous avons encore une heure de jour devant nous.

— Je n'entends pas le vent. Il doit être tombé. Il y a des raquettes dans l'hélico. Chausse-les et trace un grand S.O.S. sur la neige. Tu trouveras aussi deux fusées de détresse et l'arme pour les propulser. Garde-les près de toi et n'en tire une qu'après t'être assuré que l'appareil de secours est suffisamment près.

L'appareil de secours…

Les chances étaient minces qu'il s'en pointe un de sitôt ; je m'en rends compte aujourd'hui. Pas de G.P.S., à l'époque. Bon… on nous savait dans les Otish, mais ça couvre un immense territoire, les Otish. Et quand commencerait-on à s'inquiéter ? Certainement pas avant la date prévue de notre retour, soit une semaine après notre départ de Chapais.

La radio du bord ? Foutue, bien sûr.

Je me souviens être sorti dessiner un S.O.S., mais non de m'être intéressé au paysage, à ce moment-là. Sans doute étais-je trop sous le choc pour m'en inquiéter.

Revenu dans l'hélico, je me suis glissé tout habillé dans mon sac de couchage.

Était-ce dans la réalité ou en rêve ? J'ai entendu hurler des loups à plusieurs reprises au cours de la nuit.

À mon réveil, mon père avait les yeux grands ouverts, mais son regard fixait un ailleurs lointain.

— Tu veux un peu de chocolat, Papa ? Il y en a dans la trousse.

Il m'a fait signe que non. Je n'ai pas insisté.

— Tu vas t'en tirer, Papa.

— On verra. Maintenant, écoute-moi et fais ce que je te dis.

Je scrute toujours la carte reçue hier. Je finis par y déceler l'endroit de cet accident qui date de vingt ans.

Ce sommet qui domine la rive nord du lac Conflans ne peut être que celui que j'ai aperçu plein sud lorsque, selon les instructions de Papa, raquettes aux pieds, je suis allé inspecter les alentours de la catastrophe.

Un sommet qui me séparait du lac Conflans et m'empêchait de le voir.

Derrière moi, côté nord donc, s'élevaient des pentes que je retrouve sur la carte.

Je promène un compas sur la carte ; je rapporte mes mesures à l'échelle.

Je tire deux traits ; je fixe un point :

- quarante kilomètres à son nord, le grand lac Naococane et ses milliers d'îles ;
- huit kilomètres au sud du point, le lac Conflans ;
- quatre kilomètres à l'ouest, le lac Matoush ;
- quarante kilomètres à l'est, le mont Stefansson.

Mais qui donc connaissait ces noms à l'époque, sinon quelques Amérindiens et aventuriers ?

Et aujourd'hui ?

Il ne suffit pas de photographier la Terre par satellite pour se l'approprier.

Il ne suffit pas de la nommer.

Il faut aussi l'arpenter en long et en large, à pied, en canot, à skis ou en raquettes.

La neige est dure et porte bien. Les raquettes n'enfoncent que de quelques pouces. Je peux donc tirer sans trop de peine le corps du pilote jusqu'à la niche que j'ai aménagée à deux cents mètres de l'hélicoptère. Papa m'a dit de ne pas m'inquiéter de ce qu'il arrivera au printemps de la dépouille d'Harry. Elle subira le sort de tout cadavre, ni plus ni moins.

— Harry a quitté son corps, a-t-il ajouté. Avant de recouvrir ce dernier de neige, tu prieras pour celui qui l'occupait. Cela pourra l'aider.

— Je ne te pensais pas croyant, Papa.

— Je n'ai pas beaucoup pratiqué, mais j'ai toujours cru en Dieu. Quand viendra mon tour, tu prieras aussi pour moi.

— Je vais prier avant pour ta guérison.

— Comme tu voudras.

Au cours des deux jours qu'a pris mon père pour passer de vie à trépas, je n'ai pas cessé une minute d'espérer qu'il s'en sortirait. J'en étais pour ainsi dire convaincu, tant sa mort m'apparaissait inconcevable. Papa mourir ? Voyons ! Cela arrive parfois aux autres pères, mais au mien ? Nenni !

Il est vrai qu'il m'a jusqu'à la fin caché les terribles souffrances qui devaient le tenailler et qu'il n'a cessé de me conseiller sur les gestes à poser… « pour assurer notre survie jusqu'à l'arrivée d'éventuels secours », m'a-t-il dit quelques heures avant sa mort.

Il a dit notre survie, mais ne pensait qu'à la mienne, bien sûr.

J'ai fait tout ce qu'il m'a demandé. Aurais-je ignoré ses instructions, je ne serais plus de ce monde pour le raconter. Malgré sa cécité, sa grande faiblesse, son incapacité à poser le moindre geste, Papa m'a vraiment sauvé la vie cet hiver-là.

Il m'a deux fois donné la vie.

Deux marques d'amour :

le premier, neuf mois avant ma naissance ;

le second, seize ans plus tard, au sein de cette taïga québécoise si rude, si revêche, si hostile à l'homme, quelle que soit la saison. « La terre que Dieu a donnée à Caïn », aurait dit Jacques Cartier en apercevant la côte du Labrador. Aurait-il trouvé des mots assez durs pour qualifier l'intérieur des terres ?

— Approche, me dit Papa.

Je reviens de l'extérieur. Selon ses instructions, j'ai construit un abri avec des petits troncs et des branches d'épicéa qu'on appelle épinette au Québec. L'abri a trois côtés. À l'arrière, le toit descend jusqu'à terre ; le devant ouvre sur l'emplacement d'un feu à venir. Sur le sol, j'ai étendu une épaisse couche de rameaux d'épinette.

— Encore plus près, me souffle Papa.

Il articule avec peine. Je dois approcher une oreille de sa bouche pour saisir ses propos.

— Tu ne survivras pas longtemps dans la cabine de l'hélico. Fais un bon feu devant l'abri et passes-y les prochaines nuits.

— Et toi ?

— Je vais mourir.

— Ne dis pas ça, Papa.

— C'est la vérité. Tu es un homme, maintenant. On ne conte pas des sornettes à un homme. Tu laisseras ma dépouille dans l'hélico. O.K?

— O.K.

— Tu t'occuperas de ta mère. Je t'ai menti l'autre jour. Bien qu'elle ne me l'ait pas avoué, je sais qu'elle aimerait retourner à Blois. Tu vas t'occuper d'elle ?

— Promis.

— Promis, promis ?

— Oui.

— Bien. Continue à me veiller, mais ne me parle plus. Je veux rester seul avec Dieu.

Encore une heure… et il mourait. Dans l'instant, comme une lumière qu'on éteint.

J'avais un cahier et des crayons dans mes bagages. Le lendemain, j'ai commencé à tenir un journal.

Je regarde la photo accrochée au mur qui fait face à ma table de travail.

Une photo encadrée de Papa que m'a donnée Maman.

Une photo un peu jaunie.

On l'a prise avant leurs fiançailles. Il faisait son service militaire.

Il est plus jeune que je ne le suis aujourd'hui ; je pourrais presque être son père.

Il est en permission.

Il a fière allure dans son uniforme. Dessous une moustache impressionnante, sa bouche dessine un sourire moqueur.

À cause de la moustache, peut-être, qu'il arbore à la suite d'un pari, probablement.

Il est heureux.

D'un classeur, je tire le journal que j'ai tenu au cours de mes jours de solitude au sein des monts Otish. Je le donnerai à mon fils Éric quand il sera en âge d'apprécier ce cadeau.

4

SURVIE

Une lune bleue m'a réveillé.
Un lever de lune.
Un loup devant la lune.

Dimanche, 18 janvier

HIER, EN FIN D'APRÈS-MIDI, J'AI TRANSPORTÉ DANS L'ABRI TOUT CE QUI POURRAIT CONTRIBUER À MA SURVIE. J'AI laissé le corps de Papa dans la cabine. Elle lui servira de sépulture jusqu'à ce qu'on nous retrouve.

Après bien des ratés, j'ai réussi à allumer un feu devant l'abri, sur une plateforme de petits troncs placés sur de la neige bien tassée. Papa avait glissé dans ses bagages quelques fagots de brindilles sèches provenant de paniers de fruits. J'en ai utilisé deux ; il ne m'en reste qu'un. Prudence donc : mon feu ne doit pas s'éteindre. On peut trouver du bois sec et non pourri dans la taïga, même en hiver. Encore faut-il savoir le chercher sous la neige.

Ce matin, j'ai fait l'inventaire de mes biens. Cela donne :

• deux fusées de détresse et l'arme pour les lancer ;

• des vêtements de rechange pour trois personnes, trois gros sacs de couchage, trois grandes serviettes, trois sacs à dos, cinquante mètres de cordelette en nylon, deux toiles imperméables déjà installées, une sur l'abri, l'autre sur le sol, par-dessus les rameaux d'épinette ;

• une boussole, une carte imprécise de la région, une hachette et un manche de remplacement, une pelle pliante, un réchaud et un petit reste de carburant, le principal ayant servi à tiédir la cabine de l'hélico, un couteau suisse, une pierre à aiguiser, une boîte de métal pleine d'allumettes de bois ;

• trois paires de raquettes et de mocassins, du fil de laiton pour tendre les collets, une ligne et des agrès de pêche, trois ensembles de gamelles et des ustensiles, trois gourdes, une poêle à frire et deux chaudrons, un gros rouleau de papier d'aluminium, des contenants en plastique ;

• environ dix kilos de nourriture concentrée et déshydratée (pemmican, soupes, chocolat noir, raisins, purées de marron vanillées... de quoi nourrir trois personnes une bonne semaine, selon Papa);

• une trousse de premiers soins et des aspirines ;

• un cahier et des crayons.

Je n'ai pas trouvé d'arme à feu. J'aurais bien aimé. Certes, l'énorme ours blanc ne fréquente pas les Otish, pas plus que le grizzly d'ailleurs, et l'ours noir dort en hiver.

Mais les loups ?

« Le loup canadien n'attaque pas l'homme », m'a déjà dit Papa. N'empêche qu'un de ses proches cousins, un chien, m'a déjà sauté dessus en pleine ville de Blois.

J'ai passé le reste de la journée à me faire une provision de bois et à préparer mes repas. Cette dernière activité m'a pris beaucoup plus de temps que prévu. C'est fou ce qu'il faut fondre de neige pour obtenir un chaudron d'eau.

Un chaudron que j'ai peine à tenir en équilibre sur le feu. Ça prendrait une grille ou une plaque en métal. L'arrière de l'hélico est très endommagé. Des morceaux s'en sont peut-être détachés lors de l'écrasement. J'irai voir demain.

Le feu réchauffe mal mon abri. En serait-il trop éloigné ?

Le rapprocher au risque d'enfumer mon gîte ou, pis, de l'incendier ?

Un problème que je remets à demain.

Lundi, 19 janvier

Me suis-je levé, la nuit dernière ? Ai-je marché jusqu'à l'hélicoptère ? Toujours est-il qu'une lune bleue m'a réveillé. Une douce clarté dans l'abri. Il me semble être sorti malgré le froid.

Dans quelle intention ?

Je ne me rappelle plus.

La neige a craqué sous mes pieds ; une petite bête a couru se réfugier dans les bois. J'ai vu des traces de raquettes dans la neige. Les miennes sans doute. Mettant pour ainsi dire mes pas dans mes pas, mais sans raquettes, j'ai marché jusqu'à l'hélicoptère. Curieusement, je n'enfonçais pas.

J'ai aperçu mon père.

J'avais la lune derrière le dos et Papa se tenait au bout de mon ombre, me faisant face. Il m'a fait signe d'approcher, mais a reculé du même pas que j'avançais vers lui. L'hélico s'éloignait aussi. Je l'ai pourtant rejoint puisque, à mon réveil, à côté de l'abri, reposaient les deux pales de son rotor arrière. Elles me permettront de bien assujettir poêle et chaudron sur le feu.

Les pales sont lourdes. Comment ai-je pu les transporter jusqu'à l'abri ? Je les ai peut-être tirées avec la cordelette. Le vent aurait effacé les traces ? Sans toucher aux empreintes laissées par mes raquettes ? Curieux.

J'ai trouvé comment mieux chauffer l'abri sans déplacer mon feu. Avec une vingtaine de rondins fichés profondément dans la neige, j'ai érigé une palissade en demi-cercle derrière celui-ci. Revêtue de papier d'aluminium, elle réfléchit vers mon refuge une grande partie de la chaleur qui se perdait auparavant.

Il me semble qu'il fait plus chaud que les jours précédents. Acclimatation de mon organisme ou élévation de la température ? Comment le savoir sans thermomètre ?

Des pistes m'indiquent qu'une bête d'assez bonne taille a rôdé autour de l'abri. Un canidé sûrement. Renard, chien husky, loup ? Mes connaissances rudimentaires en traces d'animaux ne me permettent pas de préciser. On dit que les loups chassent en bande, mais il doit bien se trouver quelques solitaires plus affamés encore, si possible, donc plus dangereux.

Mardi, 20 janvier

Magique et diabolique. Les deux qualificatifs conviennent à ce qui s'est passé la nuit dernière. Je m'étais levé pour alimenter le feu. Je le fais trois à quatre fois par nuit. Le froid me réveille.

En guise d'ouverture me sont parvenus des hurlements qui se répondaient d'une colline à l'autre derrière mon abri... puis devant, dans l'espace plat qui s'étend jusqu'à la forêt.

Les sommets des maigres épinettes noires se sont ensuite allumés, puis le sol enneigé qui en est devenu une plage de saphirs, d'opales, de topazes et de turquoises.

Un lever de lune !

Sur la plage féerique, à moins de quinze pas de mon feu, campée sur son train arrière, une bête me fixait, langue pendante.

Un loup, à n'en pas douter.

Au moins deux minutes se sont écoulées avant qu'il me tourne le dos et trotte vers la forêt.

Un éclaireur ?

J'ai nourri le feu et me suis rendormi presque aussitôt recouché. J'avais besoin de récupérer. S'activer tout le jour par temps froid fatigue beaucoup l'organisme. Il y a aussi que mon psychisme s'adapte à la situation. Je parviens de mieux en mieux à contrôler ma peur.

Ce matin, mon train-train quotidien fait de coupe de bois, de cuisine et de petites améliorations à mon aménagement a été perturbé par le passage d'un avion chaussé de skis.

Celui que j'avais vu au lac Paradis ?

J'ai pu tirer une fusée alors qu'il disparaissait derrière les collines et j'ai un temps espéré qu'on l'avait vue.

Vaine attente.

Le loup va-t-il revenir cette nuit ? J'en suis presque à le souhaiter, tant la solitude me pèse.

La lecture de ce journal, vingt ans après les événements, me laisse perplexe. On n'y trouve ni complaintes, ni gémissements, ni auto-apitoiement. Je n'avais que quinze ans, mon père venait de mourir, je vivais une expérience atroce, j'étais entouré de périls et, plutôt que de m'épancher sur mon triste sort, je me bornais à rapporter les faits dans leur crudité. Comment cela se pouvait-il ?

À la réflexion, je vois que la mort de Papa et la promesse de m'occuper de Maman m'avaient investi d'une telle responsabilité que je suis devenu un homme dans l'instant. Adieu l'adolescence !

Un homme essaie de régler ses problèmes plutôt que de s'en plaindre.

Je poursuis ma lecture du journal.

Mercredi, 21 janvier

Est-il venu la nuit dernière ? Je ne l'ai pas vu. Il est vrai que je ne me suis levé que deux fois, et pour de courts instants. Aucun hurlement dans les collines, non plus. La meute doit chasser un peu plus loin. En fait-il partie ? En serait-il le chef ?

Est-ce ma nourriture qui les attire lui et sa bande ?

Ma nourriture ? Comment la protéger si j'ai à m'éloigner ?

Pour quel endroit ?

À l'évidence, je dois rester ici. Parcourir les étendues désertes qui m'entourent dans l'espoir de rejoindre un éventuel campement amérindien équivaudrait à chercher une aiguille dans un tas de foin.

Nous avons quitté Chapais le quatorze janvier pour un périple annoncé d'une semaine. Demain, après-demain au plus tard, on commencera à s'inquiéter. Des secours s'organiseront, on survolera les Otish, il me reste une fusée de détresse…

Une seule fusée !

Il ne fait aucun doute que le temps s'adoucit, je le vois à la consistance de la neige, moins poudreuse. Ce redoux annonce-t-il un blizzard ? Comment en protéger mon feu ?

Un problème qu'il me faudra résoudre dès demain. J'ai aussi l'intention de tendre des collets.

Jeudi, 22 janvier

Ce que mon feu peut-être gourmand ! Je n'en finis plus de couper du bois pour l'alimenter. Cette occupation mange une grande partie de mes journées.

Des journées de moins de huit heures, il faut dire, en cette saison et sous cette latitude.

Je prends soin de travailler lentement. Je m'active tout juste assez pour tenir mon organisme à une température confortable. Par souci d'éviter un refroidissement, je veille à ne pas suer.

Je me lave chaque jour, tout le corps, partie par partie que je recouvre aussitôt après friction avec une serviette.

Je me sens en pleine forme. Je me suis beaucoup endurci.

Aujourd'hui, pour le protéger d'une éventuelle chute de neige, j'ai construit un abri pour mon feu avec quelques rondins pour supporter la dérive inférieure de l'hélico. Rudimentaire, mais mieux que rien.

J'ai aussi tendu trois collets en travers de pistes de lièvres. Je souhaite presque ne rien prendre tant il me répugne d'écorcher les bêtes.

Les loups s'enhardissent. Autour de midi, je les ai vus courir d'une colline à l'autre. Ils s'arrêtaient parfois pour examiner mon campement.

Simple curiosité ou examen attentif d'un camp à investir ?

Vendredi, 23 janvier

La nuit porte conseil, dit-on, et ce fut le cas de la dernière. M'étant couché avec la hantise de ne plus pouvoir signaler ma présence une fois tirée ma dernière fusée de détresse, je me suis réveillé avec une solution en tête.

J'envelopperais de papier d'aluminium une des raquettes de ma deuxième paire.

Deux minutes m'ont suffi pour fabriquer un réflecteur qui me permettra peut-être d'attirer l'attention d'un pilote en détournant des rayons de soleil vers lui.

Un soleil qui me boude depuis trois jours. À quand la neige ? Il fait toujours assez doux.

Ce matin, je suis allé relever mes collets. J'ai pris un lièvre que je ne pourrai pas déguster, cependant. Une bête m'a précédé et l'a dévoré presque en entier. Une bête à cinq doigts de pied d'après les traces, ce qui exclut le loup qui n'en possède que quatre. Un carcajou ? On le dit très féroce.

La meute arpente toujours le sommet des collines, à bonne distance donc. Par contre, celui qui semble en être le chef a osé traverser mon camp à deux reprises aujourd'hui. À l'évidence, je le crains plus qu'il n'a peur de moi.

Vont-ils attaquer cette nuit ?

Samedi, 24 janvier

Jappements, hurlements, glapissements ; c'est tout un chœur qui s'est fait entendre vers les trois heures du matin. Un concert de dix minutes qui a cessé d'un coup, comme sous la baguette d'un chef d'orchestre.

Un bruit étouffé, le piétinement de nombreuses bêtes, a suivi le concert.

Un piétinement qui a peu à peu perdu de son intensité pour enfin laisser place à un silence chargé de menaces.

Plusieurs étaient assis, à dix mètres devant l'abri, langue pendante.

Entre eux et moi, le feu, mais de chaque côté, je voyais luire leurs yeux.

Le feu me protégeait, sans doute, mais d'autres se tenaient peut-être derrière l'abri.

Ai-je rêvé ? À mon réveil, aucune trace n'apparaissait sur le sol que recouvraient quelques centimètres de neige fraîche, cependant.

Il a neigé jusqu'à midi, puis le soleil est apparu, ramenant le froid, curieusement.

Dimanche, 25 janvier

Je n'en peux plus de passer mes nuits à guetter leurs agissements. J'en ai assez d'attendre. Je ne veux plus subir, mais agir.

Une occasion se présente qu'il me faut saisir : ces traces de raquettes que j'ai vues ce matin alors que j'inspectais mes collets.

Des traces qui ne peuvent avoir été faites avant hier midi, puisque c'est à ce moment qu'il a cessé de neiger.

Des traces récentes, donc.

Des traces allongées qui ne peuvent être les miennes puisque je chausse des raquettes rondes du genre pattes d'ours.

Dans un sac à dos, j'ai mis un ensemble de gamelles, la hachette, mon journal et deux jours de vivres. Dessus, avec un bout de cordelette, j'ai arrimé un sac de couchage.

Le reste de la nourriture, je l'ai enfoui sous la neige, dans des contenants de plastique hermétiquement fermés.

Le feu ? À mon départ, je le couvrirai de la dérive de l'hélico. J'espère que la braise accumulée brûlera jusqu'à mon retour.

Je compte partir demain, dès le lever du jour. Les traces me guideront. Elles viennent des collines et descendent la pente devant mon abri avant de pénétrer dans la forêt. Je me donne la journée de demain pour trouver où elles mènent. En cas d'échec, je coucherai sur place et reviendrai à mon campement après-demain.

La pente mène-t-elle à une rivière ?

Une rivière mène souvent vers l'activité humaine.

Sur la carte, je suis le parcours de cette rivière des Quatre-Temps que des événements ultérieurs à mon départ du campement ne m'ont pas permis d'atteindre à l'époque.

Ce journal se termine le 25 janvier.

Je rassemble mes souvenirs pour raconter la suite.

5

L'ERMITAGE

> Entre grange et maison,
> une corde,
> pour ne pas se perdre.

N'AYANT PAS L'HABITUDE DE LONGS PARCOURS EN RAQUETTES, JE MARCHE LENTEMENT, À TROIS KILOMÈTRES heure selon mon estimation. Il est dix heures. J'ai quitté mon campement à huit heures, je m'en suis donc éloigné de six kilomètres.

Je progresse est-sud-est dans un layon qui ressemble, mais en plus large, à ces bandes déboisées sous les lignes à haute tension d'Hydro-Québec. Un feu de forêt a dû passer par ici dans un passé récent. Sur ma droite se dresse un escarpement boisé coiffé de crêtes pelées ; sur ma gauche ondule une chaîne de collines élevées.

Le ciel est bleu partout, sauf à l'horizon nord-est qui commence à s'ennuager.

Je m'arrête pour prendre une bouchée et boire à ma gourde que je porte accrochée au cou et sous mon anorak pour que l'eau ne gèle pas.

Un arrêt de dix minutes tout au plus.

Je boucle mon sac. Je scrute le ciel au-dessus de ma tête. Un flocon de neige se perche sur mon nez. De bleu, le firmament n'arbore plus qu'une petite bande derrière mon dos.

Je repars. Je hâte le pas. La neige va bientôt effacer des traces que je veux suivre le plus avant possible. Plus loin je les accompagnerai, plus précise sera l'idée que je me ferai du lieu qu'elles visent. Le terrain descend toujours et mon espoir grandit qu'elles mènent à une rivière.

À un campement d'Amérindiens montagnais ou naskapis, peut-être.

Au salut ?

Plus je me hâte, plus il neige, on dirait.

Je ne m'inquiète pas trop de mon retour. Depuis mon départ, je me tiens au centre d'un boulevard large de quelques kilomètres bordé de chaque côté de sommets élevés en guise d'édifices. Pour retrouver mon abri, je n'aurai qu'à remonter le boulevard en son milieu.

Ce que je suis sur le point de faire, car je ne vois plus les traces que je suivais.

Une bourrasque me prend soudain de travers et me jette par terre. Empêtré dans mes raquettes, j'ai peine à me relever.

Il neige en abondance maintenant. Une neige dure et sèche qui fait mal en frappant la peau. Le vent semble venir de partout, il tourbillonne. Je suis au sein d'une poudrerie pire que celle subie à Chibougamau. Je tends un bras devant moi : je ne vois pas ma mitaine.

À nouveau sévit le fameux *jour blanc*.

Je veux repartir. Le bout de ma raquette bute dans la neige fraîche. Je tombe à nouveau.

Assis dans la neige, je me dis que les quelques kilomètres qui séparent les crêtes entre lesquelles je chemine se sont étirés à l'infini.

De ce qui est survenu entre ma deuxième chute et mon arrivée à l'Ermitage, je n'ai plus que de vagues souvenirs. Combien de temps ai-je tourné en rond au cours de mes tentatives de sortir du layon pour m'abriter en forêt ?

Plusieurs heures, sûrement.

Jusqu'à épuisement, en fait.

« Les hivers du Nord sont si terribles, nous avait dit Ti-Pit Laframboise à Chibougamau, que les fermiers de l'Abitibi tendent une corde entre la maison et la grange pour ne pas se perdre. » Ce que j'avais pris pour une galéjade s'habillait maintenant d'une épaisse couche de vérité.

Toujours est-il que j'ai enfin rejoint la forêt et que, passant sous un grand sapin, j'ai reçu sur le dos une si grande masse de neige que j'en ai été éreinté au physique comme au moral.

Enseveli jusqu'au cou, brisé de fatigue, découragé, aboulique, j'ai cessé de combattre et me suis laissé glisser dans cette douce torpeur qui précède la mort par le froid.

Il fait nuit.

Je suis couché sur le dos, mais j'avance puisque je vois des branches défiler sur un fond de ciel.

Quelqu'un crie : Giii ! ou Gôôôche ! Alors, on tourne à droite ou à gauche.

Nous passons sous une arche de pierre. Je relève la tête : devant moi courent des bêtes.

— Giii ! crie quelqu'un derrière moi, et nous entrons dans une sapinière. Les arbres sont immenses. Ils croulent sous la neige.

Je suis sur un traîneau que tirent une dizaine de chiens. Les lames émettent un son feutré. Nous avançons comme dans de la ouate.

— Gôôôche ! Nous sortons de la sapinière. Nous tournons pour nous engager sous une deuxième arche.

Je veux me redresser, mais la tête me tourne. À nouveau, je m'abandonne à ma torpeur.

Nous glissons encore pendant un temps que je ne peux évaluer.

Quelqu'un court à côté du traîneau.

— Je m'occupe des chiens, lance-t-il.

Nous nous arrêtons.

— Peux-tu te tenir debout ? me demande quelqu'un d'autre.

Je descends du traîneau. Je suis face à une porte de bois incrustée dans une paroi rocheuse. Aux arbres sont accrochées des ampoules multicolores qui éclairent le seuil.

J'esquisse un pas.

Je m'écroule.

Je m'évanouis.

Je suis revenu à moi le mercredi 28 janvier, soit deux jours après mon ensevelissement sous un sapin.

En fait, j'avais quelques fois repris conscience, mais à peine et pour de très courts instants. On m'adressait la parole et, frissonnant de fièvre, j'émergeais de mon délire. Je buvais la potion qu'on me tendait… puis je me lovais à nouveau sous les couvertures.

Alors reprenait cette course folle pour échapper à des bêtes qui jamais ne me rattrapaient, mais dont je ne parvenais pas à m'éloigner vraiment. Parfois, Papa courait à mes côtés et j'en étais réconforté, mais il disparaissait vite et ma détresse redoublait.

Mon organisme était jeune et on m'avait bien soigné. C'est donc tout à fait guéri et très lucide que, cet après-midi du 28 janvier, j'ai ouvert les yeux sur la grande fresque peinte sur le mur qui me faisait face.

Une fresque multiculturelle, dirait-on aujourd'hui, puisque des Vikings à bord de drakkars y côtoyaient des Amérindiens portageant leurs canots. Y apparaissaient aussi des montagnes genre Fuji-Yama, des lacs sertis de nombreuses îles et une rivière torrentueuse.

Un ours pêchait dans la rivière.

Cette rivière avait un nom : Gljulfra ; l'ours aussi : Björn.

J'ai examiné la chambre : cinq mètres sur dix au moins, mais basse de plafond.

Un plafond à colombages.

Deux grandes armoires, un bahut, un bureau, une table basse et quelques chaises et fauteuils en constituaient l'ameublement.

Un ameublement de style scandinave.

Aucune fenêtre, mais un éclairage tamisé émanant des plinthes.

Une température confortable.

Était-ce l'hiver ? Nous étions bien le 28 janvier, mais je ne le savais pas encore.

Étais-je toujours dans le massif des Otish ? Ce que je voyais ne m'incitait pas à le croire.

Près de mon lit, sur une table de chevet que je venais tout juste de remarquer, reposait un appareil téléphonique sans cadran ni clavier. J'ai décroché. Une sonnerie s'est fait entendre.

— Qu'y a-t-il ? a demandé une voix mâle avec l'accent pointu d'un maître d'hôtel parisien.

— Je suis guéri, ai-je répondu. Que pouvais-je dire d'autre ?

— J'en suis heureux. De l'autre côté du corridor, il y a une salle de bains et des toilettes. Tu trouveras des vêtements à ta taille dans une des armoires de ta chambre. J'irai te rejoindre dans une heure.

Sur ces mots, il a raccroché.

Je me suis laissé tremper longtemps dans l'eau chaude de la grande vasque de la salle de bains. Je me suis savonné. Je me suis retrempé. J'ai changé l'eau et j'ai recommencé. Sur une tablette au-dessus du lavabo s'alignaient plusieurs flacons d'eau de Cologne que j'ai tous humés avant de choisir. J'ai regagné ma chambre, enveloppé dans une épaisse serviette éponge.

Dans l'armoire, j'ai choisi un pantalon de velours côtelé vert olive et un pull assorti. J'ai glissé mes pieds dans des souliers souples et confortables.

Décidément, je ne pouvais pas me trouver au sein des Otish.

On a frappé à la porte, j'ai ouvert.

— Bienvenue à l'Ermitage des Otish, m'a-t-il souhaité en entrant.

Un type un peu plus grand que moi, très mince, visage émacié, nez en lame de couteau, yeux et cheveux noirs, mine narquoise. Au-dessus de son épaule droite, il soutenait un plateau chargé de fruits et de fromages.

Il a ajouté :

— Je me présente : Marcel Fortunat, pour te servir. Patiente encore une minute, je reviens avec le café.

— Björn m'a chargé de te mettre au parfum. Non pas depuis le début, car cela prendrait un temps énorme. Puis-je suggérer que nous commencions par ton arrivée dans l'histoire ? Björn ou un de ses enfants s'occupera de te renseigner sur les antécédents.

— D'accord.

Une table basse nous sépare, sur laquelle Marcel a déposé le plateau, deux tasses et la cafetière. Nous gobons des raisins, grignotons des fromages et sirotons du café.

Marcel parle et j'écoute. J'apprends que mes hôtes furent informés de l'écrasement de l'hélicoptère par un ami Naskapi et ce, dès le lendemain de l'accident.

Pourquoi ne m'a-t-on pas alors secouru ? On me croyait membre d'un groupe de prospecteurs à la recherche de détenteurs d'un filon pour les faire parler avant de les envoyer *ad patres*, c'est-à-dire les tuer. L'expression est de Marcel Fortunat qui aimait enjoliver son langage de préciosités. Ce même filon, m'a-t-il fait savoir, qui a permis la construction de l'Ermitage et continue d'assurer la subsistance de ses occupants. Quelle est la nature de ce filon et en quel endroit se cache-t-il ? Il n'appartient pas à lui, Marcel, de le révéler à qui que ce soit…

Je lui coupe la parole :

— Si je suis ici, c'est bien qu'on a enfin décidé de me sauver. Pourquoi a-t-on changé d'idée ?

— Vigdis t'a épié et reconnu alors que tu tendais des collets ; en t'y prenant fort mal, soit dit en passant. Vous vous étiez rencontrés à Chibougamau, je crois. C'est la fille de

Björn, le maître de céans. Elle a un frère : Leifr. Tu les verras tout à l'heure.

— Pourquoi Vigdis n'est-elle pas venue me voir à mon campement ?

— Elle ne te savait pas seul. Par précaution, elle a préféré revenir à l'Ermitage et nous a dépêchés, Leifr et moi. Et puis, elle ne se trouvait pas présentable. Tu sais comment sont les femmes.

Je ne le savais pas encore, mais j'étais sur le point de l'apprendre.

Je pense soudain aux loups.

— De nombreux loups rôdaient autour de mon camp. Un effronté s'est même permis de le traverser à plusieurs reprises en plein jour. Ils auraient pu me dévorer pendant que Mademoiselle se refaisait une beauté.

— Aucun danger. Ils te protégeaient plutôt.

— Comment cela se peut-il ?

— Tu le demanderas à Mademoiselle.

Il regarde sa montre.

— Bon ! Il est près de seize heures. On viendra te chercher pour le dîner qu'on appelle souper par ici. À dix-neuf heures. D'ici là, repose-toi. Il faut récupérer. Voyons : ta tenue est convenable. Ton accent me dit que tu es Français. Je me trompe ?

— Non.

— Cocorico !

Et voilà qu'il me quitte sur cette onomatopée. Dans ma tête se bousculent des questions encore plus nombreuses que celles auxquelles il a répondu.

6

BJÖRN

Des doigts effilés
Frappent le pleyel.
Divins arpèges !

VERS 18 HEURES, VIGDIS A FRAPPÉ À LA PORTE DE MA CHAMBRE. MOCASSINS, JUPE DE CHANVRE ÉCRU, CHEMISIER blanc à motifs de fleurs, cheveux relevés en chignon. J'avais bien choisi mes fringues tout à l'heure : nous étions assortis.

— Monsieur accepterait-il que je lui fasse les honneurs de la maison ?

J'ai compris qu'elle voulait me la faire visiter.

— Viens voir mon pleyel, a-t-elle ajouté.

Et de m'entraîner dans une sorte de boudoir. Y trônait rien de moins qu'un piano.

— C'est un pleyel, a-t-elle répété. Du nom d'un compositeur autrichien, fondateur d'une fabrique de pianos. Il est mort à

Paris en 1831. Ce n'est pas n'importe quel piano, tu sais.

L'instrument me paraissant aussi prétentieux que la demoiselle, j'en convins volontiers. Mais autre chose m'importait davantage.

— Sommes-nous bien dans les Otish ? lui ai-je demandé.

— Quelle question ! Tu sais bien que oui.

— Je n'en suis pas très sûr.

— Pourquoi ?

Un bras tendu vers le pleyel et l'autre effectuant un grand cercle englobant, j'ai répondu :

— À cause de ceci… et de tout ça.

— Je t'expliquerai plus tard, mais avant, laisse-moi te parler du conservatoire.

J'ai donc appris que Mademoiselle fréquentait une école privée de Montréal au programme enrichi de plusieurs cours de musique, qu'elle y réussissait dans toutes les matières et y excellait en cette dernière.

— J'y étudie six mois par année : deux périodes de trois mois. Le reste du temps, je le passe ici. Une sœur de mon père m'héberge lorsque je suis à Montréal.

— Comment voyages-tu ?

— En avion jusqu'à Chibougamau, puis en hélico jusqu'à Nitchequon. C'est à deux cents kilomètres au nord des Otish. Le reste du chemin, je l'effectue en canot ou en traîneau à chiens, en compagnie d'un Naskapi, ami de Papa. Il s'appelle Atsen. C'est lui qui m'a enseigné à commander aux loups.

— Tu leur parles vraiment ?

— Oui. Et ils m'obéissent.

— Ce sont des loups domestiqués ?

— Non. Ce qu'il y a de plus sauvage.

— Où sont-ils ?

— Quelque part. Leur territoire est très vaste. Ils peuvent parcourir plus de cinquante kilomètres au cours d'une seule nuit.

— Comment fais-tu pour les rejoindre ?

— Ce sont eux qui viennent me voir.

— Et le piano, l'ameublement, les matériaux pour construire l'Ermitage, comment les a-t-on acheminés jusqu'ici ?

— De la même manière que votre humble servante, Monsieur, mais au cours de l'hiver, cela va de soi. Pas facile de transporter un pleyel en canot.

— Tout ça a dû coûter une fortune !

— Oui. Nous sommes très riches.

Et d'agiter une main au-dessus de sa tête, pour signifier que les vulgaires considérations monétaires n'étaient pas de son monde.

— Veux-tu que je te joue quelque chose ?

Il n'aurait pas été poli d'exprimer un refus qu'elle ne m'a pas laissé le temps d'énoncer d'ailleurs. Déjà installée sur le tabouret, elle entamait une polonaise de Chopin, je ne me rappelle plus laquelle.

Bon ! Je ne déteste pas la musique classique et Vigdis jouait bien, très bien même. Mais ses poses d'artiste en transes ! Sa façon de tenir en l'air une main pour l'instant inoccupée ! Ses minauderies lorsqu'elle tournait la tête vers moi ! Pimbêche ! Mijaurée ! Marie-Chantal ! Des épithètes que je lui lançais en pensée alors que s'envolaient les nobles et divins arpèges du bout de ses doigts aristocratiques.

Je jugeais mal cette demoiselle qui parlait aux loups et qui, j'allais l'apprendre, pouvait se conduire avec beaucoup de sang-froid au milieu des pires périls.

Toujours est-il que, la polonaise achevée, j'ai accompagné Vigdis au salon. Elle m'y a présenté Leifr, son frère aîné de deux ans.

Un gars de ma taille, solidement charpenté, d'une finesse de langage peu commune.

— Comme moi, Leifr étudie six mois par année, m'avait dit Vigdis dans le corridor. Il rêve de devenir astrophysicien, mais Papa voit son avenir différemment.

J'ai remercié Leifr de m'avoir sauvé la vie. Avec un sourire, il s'est excusé d'avoir fait de moi son obligé et m'a promis qu'il ferait l'impossible pour se foutre vite dans le pétrin afin que je puisse le rembourser en le sauvant à mon tour.

Un humour très *british*, comme on voit.

C'est alors qu'a surgi Marcel Fortunat.

— Ah ! vous êtes tous là. Björn vous attend dans la salle à manger.

Björn…

Qu'en dire pour l'instant ?

Il est grand, roux ; il porte une barbe touffue.

Ses yeux sont bleus, bleu acier.

Il a le menton carré de ceux qui savent ce qu'ils veulent et l'obtiennent en général.

Il affiche les rides d'un homme âgé et les muscles d'un athlète en pleine maturité.

À notre entrée dans la salle à manger, il s'est levé et m'a salué en inclinant la tête.

Il se tient debout tout le temps que nous approchons de la table. Son maintien a quelque chose de solennel.

— Bienvenue à l'Ermitage.

Sa voix est grave ; le ton aussi solennel que le maintien.

Il m'indique ma place ; nous nous assoyons.

Marcel Fortunat entre en poussant un petit chariot.

— Potage de lichens relevé de plaquebière, suivi d'un filet de macamic, lance-t-il. Nous annoncerons le dessert tout à l'heure.

— Plaquebière et macamic ? fais-je.

— La plaquebière est le petit fruit d'une plante des tourbières du Nord ; aussi bien celles d'Europe que d'ici, me répond Björn. Quant au terme macamic, il signifie castor boiteux en langue algonquine. Ton castor n'est pas trop mal en point j'espère, Marcel ?

— J'y ai goûté, tu sais.

— Et ton teint montre que tu te portes à merveille. Cela rassure.

Je suis dans ma chambre. Je récapitule ce qui vient de se passer depuis ma sortie du coma. Je me pince, comme il est dit dans les livres. Aïe ! Je ne rêve pas. Tout ce qui m'entoure est bien réel.

Marcel Fortunat est venu me voir tout à l'heure. En plus d'une dizaine de livres, il m'a remis un réveille-matin, un gros et solide cahier format registre et une douzaine de crayons. « Pour noter ce qui arrivera, m'a-t-il dit en clignant de l'œil. Car il va s'en passer des choses, et ce ne sera pas de la roupie de sansonnet[5]. Je viendrai te

5. Roupie de sansonnet : une autre coquetterie de Marcel Fortunat qu'il faut traduire par gnognote ou petite bière.

voir demain matin, avant le déjeuner. J'ai encore beaucoup de choses à t'apprendre. Est-ce que six heures te conviendrait ? »

Je n'ai pas osé lui avouer que l'heure ne me convenait pas tout à fait.

J'ai retrouvé le gros cahier format registre que m'a remis Marcel Fortunat, il y a plus de quatre lustres[6] déjà. Il est rempli presque d'une couverture à l'autre d'une écriture fiévreuse que j'ai peine à déchiffrer aujourd'hui, bien que ce soit la mienne.

Il y a beaucoup de ratures, les mots empiètent les uns sur les autres, les marges sont pleines d'annotations et de corrections.

Les premières pages sont plus nettes, cependant, plus lisibles, comme si je m'étais appliqué à bien les écrire. Elles relatent l'histoire de Björn et une partie de celle de son associé, d'après la version que m'a narrée Marcel Fortunat, à six heures du matin.

Ces pages, je les cite ici textuellement.

HISTOIRE DE BJÖRN ET D'UNE DÉCOUVERTE FANTASTIQUE

Björn a vu le jour au début du vingtième siècle, à Harnarfjördor, en Islande.

6 Lustre : période de cinq ans.

Après des études à Reykjavik en construction navale, il a été tout à tour plombier, électricien, pêcheur côtier puis hauturier[7]. L'idée lui vient alors d'exploiter une des sources d'eau chaude qui abondent sur son île.

Faisant fi des quolibets et des prédictions de faillite, il fonde une entreprise de culture de bananes en serre qui s'avère un succès total.

Enfin bien établi, l'avenir d'une descendance assurée, Björn se permet de tomber follement amoureux d'une jeune fille de vingt ans sa cadette.

Il l'épouse.

Elle lui donne Leifr, puis Vigdis. Ce dernier accouchement s'avère difficile au point que la mère y laisse la vie.

Fou de douleur, Björn vend son entreprise à vil prix et fuit son malheur jusqu'à Montréal où il confie ses enfants à une de ses sœurs mariée à un Québécois.

Il fait trente-six métiers: ferblantier-couvreur, maçon, émondeur, magasinier, agent de sécurité, videur de bar. Ce dernier emploi le met en contact avec Marcel Fortunat, un Français établi au Québec depuis quelques années déjà.

Pur produit de Paris, Marcel est débrouillard, fonceur, hâbleur, gouailleur et fin comme une mouche. Mais c'est aussi un aventurier

7 Hauturier : de haute mer, de grand large.

attiré par les grands espaces sauvages. Bien qu'il ne crache pas dans un verre de Bordeaux, il lui préfère le thé des bois.

Marcel détient un secret.

De la bouche de quelqu'un dont il ne veut dévoiler le nom, il a appris que le centre du Québec regorge de diamants qu'il n'y a qu'à ramasser pourvu que l'on connaisse les endroits.

Marcel, lui, en connaît un, mais n'a malheureusement pas les sous pour financer l'expédition.

Or, le pécule de Björn n'a pas encore fondu tout à fait. Les deux s'associent donc, l'un fournissant l'argent, l'autre le renseignement. Ils prospectent tout un été et trouvent enfin des diamants.

À profusion, beaucoup plus qu'ils ne l'ont imaginé dans leurs rêves les plus fous.

Ils s'associent à un Amérindien naskapi et montent un réseau qui achemine les diamants du filon à Amsterdam en passant par Nitchequon, Chibougamau, Boisbriand et Toronto.

Un jour, au cours d'une de leurs pérégrinations, ils trouvent, au sein des monts Otish, une caverne que chauffe une rivière souterraine.

Les deux hommes apprécient leur nouveau mode de vie; ils ont l'argent et maintenant l'emplacement. Ils aménagent la caverne et s'y établissent à demeure avec la certitude que personne ne viendra troubler leur paix.

7

UN *HUIT* SUR UN ÉTANG

Une dentelle
qu'illumine le soleil :
des stalactites de glace.

À L'AIDE D'UNE LOUPE, J'AI PU DÉCHIFFRER CE QUE, L'HIVER DE MES QUINZE ANS, J'AVAIS NOTÉ DANS LE CAHIER REÇU de Marcel Fortunat. Une écriture nerveuse, annonciatrice d'une catastrophe, mais qui m'a permis de ramener à la surface de nombreux événements enfouis au fond de ma mémoire.

Des événements… des jalons plutôt, sur le chemin du drame.

Maintenant que j'y vois plus clair, je peux poursuivre mon récit. Dans ce chapitre, je lui donnerai la forme d'un journal : un mode d'expression propre à rapporter fidèlement mes états d'âme avant l'acte final.

Jeudi, 29 janvier

Nous serons bientôt attaqués. C'est ce que m'a appris Marcel Fortunat peu après six heures ce matin.

— Parce que certains veulent s'approprier un filon dont nous sommes les seuls à connaître l'emplacement, a-t-il ajouté.

— Comment le savez-vous ?

— Par nos contacts de Nitchequon et de Pointe-Bleue, au lac Saint-Jean. Björn ne voulait pas que je t'en parle, mais celui qui partage nos dangers a le droit de savoir.

— Je crois avoir rencontré quelques-uns de vos assaillants éventuels.

— Qu'est-ce qui te le fait croire ?

— C'était au lac Paradis. Ils l'ont quitté le 15 janvier à bord d'un Cessna.

Et de lui expliquer ce que je savais d'eux.

— Cela confirme ce que nous savions. Il y aurait plus d'un avion, cependant.

— Le gérant de la pourvoirie avait hébergé les passagers de deux autres petits avions les jours précédents. Ils se disaient prospecteurs.

— Ce ne peut être qu'eux. Merci pour le renseignement.

Dimanche, 1er février

Ma guérison date de quatre jours. Encore faible, je les ai passés à lire et à dormir.

Surtout à dormir.

Avant-hier, Marcel et Leifr sont partis en tournée pour un temps indéterminé. « Secret professionnel » a dit Vigdis en réponse à mes questions.

— Tu as l'air en meilleure forme, a-t-elle ajouté. Sais-tu patiner ?

J'ai répondu que des vacances d'hiver à Chamonix[8] m'avaient transformé en un de ces Français qui savaient le faire. Elle a regardé mes pieds.

— Tu chausses du combien ?

— Quarante-quatre.

— Parfait ! Je te passe les patins de Leifr et tu m'accompagnes à l'étang.

Un étang situé à deux pas de l'Ermitage, abrité du vent et des chutes de neige par un surplomb rocheux.

Des stalactites pendent du surplomb et forment une dentelle qu'illumine le soleil, car il fait beau et sec.

J'ai des patins à longue lame comme en chaussent les patineurs de vitesse. Tchss… tchss… font les lames.

L'étang est vaste. Il couvre un champ si blanc, si brillant que l'œil n'en peut soutenir l'éclat et vite va se reposer sur les grands sapins qui le bordent.

8. Chamonix : station d'alpinisme et de sports d'hiver des Alpes françaises.

Vigdis a des patins appelés *de fantaisie* au Québec, ceux qu'utilisent les patineurs artistiques dans leurs saltos, entrelacs, spirales, arabesques, volutes et autres broderies.

Vigdis virevolte sur la glace. Va-t-elle s'envoler ? Sur une seule jambe, elle boucle un *huit*.

— Tu as vu ? me demande-t-elle.

Une voix qui sonne comme du cristal d'Islande.

Ce qu'elle est belle !

Elle me prend la main. Nous faisons plusieurs fois le tour de l'étang.

— Tu connais l'existence de l'Ermitage et ses secrets maintenant. Je ne sais pas si Papa acceptera que tu nous quittes, me dit-elle sur le chemin du retour.

Et moi, encore émerveillé, j'accueille ces propos comme une bonne nouvelle.

Lundi, 2 février

Il est arrivé hier, en fin d'après-midi et a passé la journée à s'entretenir avec Björn. « On l'appelle Atsen, m'a dit Vigdis, ce qui signifie Géant en langue montagnaise… ou Génie ou encore *Celui qui fait peur;* c'est selon. » Elle a ajouté :

— Comme tu as pu le constater, ce n'est pas à cause de sa taille, qui est des plus normale. Atsen est une force de la nature. Il habite un camp de bois rond sur une île du lac Naococane, à soixante kilomètres d'ici. Une journée de marche pour lui.

— C'est lui qui te conduit à Nitchequon ?

— Oui. Pour le reste, Atsen ne quitte jamais son territoire, c'est-à-dire sa ligne de trappe[9] qui serpente entre son camp et l'Ermitage. À part nous, il ne fréquente que ses loups.

— Ses loups ?

— Oui, toute une meute. Il leur parle même, et ils lui obéissent comme à moi d'ailleurs. C'est lui qui m'a fait accepter du chef.

— Le chef ?

— Le chef de la meute.

— La meute qui cernait mon campement était à ses ordres ?

— Et aux miens. Oui, monsieur. Un mot de moi et ils t'auraient dévoré.

Cette conversation pourrait laisser croire que Vigdis et moi passons nos journées ensemble. Ce n'est pas le cas, Mademoiselle les écoulant plutôt à pratiquer son piano. Et moi à lire dans ma chambre. Par la porte entrouverte s'insinuent les arpè-

9. Ligne de trappe : itinéraire que suit le trappeur pour relever ses pièges.

ges d'un madrigal ou, plaintives, les notes égrenées d'une sonate à la lune ou à quelqu'autre astre blafard.

Reposant, envoûtant, mais aussi un peu ennuyant.

Je lis. Je réfléchis aussi, et m'interroge…

Qui donc cuisine depuis le départ de Marcel Fortunat ? À mon entrée dans la salle à manger, la table est toujours mise et les plats tenus au chaud dans une sorte de petit meuble roulant. Björn ? Quelqu'un d'autre qu'on ne m'aurait pas encore présenté ? Vigdis ? Oh non ! Mademoiselle risquerait d'y abîmer ses jolis doigts de pianiste.

Combien de temps resterai-je à l'Ermitage ? Se pourrait-il qu'on veuille y garder prisonnier l'étranger qui connaît l'emplacement de cet asile exceptionnel et l'existence d'un trésor proche ? Et pour combien de temps ? *Ad vitam æternam* ?

Pourquoi Leir et Vigdis sont-ils parfois mal à l'aise en présence de Björn, ce père qu'ils semblent par ailleurs beaucoup aimer ?

Tout à l'heure, j'ai croisé Björn dans le corridor. Il avait l'air préoccupé.

Après avoir répondu à mon salut avec un peu de retard, il est revenu sur ses pas et m'a demandé si je savais manier un fusil.

J'ai répondu par l'affirmative, ce qui a semblé le satisfaire.

Bon ! L'heure du souper approche. Allons nous faire une beauté. Je brûle de rencontrer ce fameux Atsen, « l'homme qui commande aux loups ».

Lundi, 2 février, un peu avant minuit

Ça y est ! Je sais enfin ce qu'on attend de moi. Pour les jours à venir, du moins. Quant au long terme, c'est plus flou.

Mais je commence par ce souper qui m'a permis de connaître enfin le fameux Atsen.

Un être qui, malgré sa taille moyenne, nous dominait tous, même Björn.

Des yeux noirs ; un regard perçant.

Des cheveux de jais nattés derrière le dos.

Les traits burinés, la peau comme du cuir.

Très musclé, un cou de portageur[10].

Un portageur qui s'exprime comme un universitaire.

Le type même du gentleman aventurier indispensable dans un naufrage, mais aussi très présentable dans un salon où il sait tenir son bout de conversation.

10. Portageur : celui qui porte son embarcation sur son dos pour éviter un rapide ou pour relier deux étendues d'eau.

— C'est qu'Atsen lit beaucoup, m'a dit Vigdis après souper, au cours de cette promenade qui m'a permis d'en apprendre beaucoup sur son père.

Mais je reviens à ce repas qui m'a fait découvrir Atsen, ce Montagnais qui vit seul douze mois sur douze, qui ne cause quasiment qu'à ses loups et s'exprime pourtant dans un français à faire pâlir d'envie n'importe quel professeur d'université.

Mais lui ne parle pas pour ne rien dire, et son regard pénètre en vous jusqu'à l'âme, de sorte qu'on ne peut rien lui cacher de ce qu'on est vraiment.

J'étais à peine assis qu'il m'avait déjà jugé. Il s'est tourné vers Björn.

— Il n'y a pas une once d'artifice en lui, a-t-il déclaré à mon propos. Tu peux tout lui révéler.

Et Vigdis d'en rajouter :

— Tu vois Papa, c'est comme je t'avais dit !

Gênant, mais, somme toute, assez plaisant.

— Me promets-tu de garder le secret sur ce que je m'apprête à te dévoiler ? m'a demandé Björn.

— Oui, bien sûr.

— Tu me le jures ?

Atsen est intervenu :

— S'il a répondu oui à ta question, c'est qu'il ne parlera pas. Pourquoi lui demander de jurer ?

Björn a acquiescé de la tête. Voici ce que j'ai appris de sa bouche.

• L'Ermitage est situé à 70 degrés, 12 minutes, 28 secondes sur la longitude ouest, par 52 degrés, 28 minutes, 33 secondes de latitude nord, soit à la base du mont Stefansson, côté nord[11].

• Les diamants sont extraits de la pointe sud de l'esker Montparnasse[12], à douze kilomètres, ouest-nord-ouest de l'Ermitage.

• Des individus sans foi ni loi ont appris – de qui ? – qu'un filon mirobolant existait dans les parages. Björn les soupçonne même de connaître l'existence de l'Ermitage, mais ne croit pas qu'ils puissent le situer avec précision.

• Leifr et Marcel Fortunat sont partis à la recherche du campement de ces soi-disant prospecteurs. Björn veut agir dès leur retour.

---

11. Le lecteur curieux pourra consulter la carte à l'échelle 1: 250 000, N° 23 D, édition 2, établie par le Centre canadien de cartographie et intitulée *Lac Naococane*.

12. Esker Montparnasse : nom donné par Marcel Fortunat. On ne trouvera pas ce nom sur la carte, mais l'esker y figure bien.

— Nous sommes moins nombreux, a-t-il ajouté en me regardant, mais nous connaissons le terrain. Puis-je compter sur toi ?

J'ai accepté, bien sûr. Aurais-je pu refuser d'aider ceux qui m'avaient sauvé ?

Après le souper, j'ai accompagné Vigdis du côté de l'étang-patinoire. Derrière les grands sapins, durant quelques secondes, l'horizon s'enflammait parfois. Alors que j'entendais hurler, j'ai demandé à Mademoiselle si c'était le fait des loups d'Atsen.

— Non. Ce sont nos chiens de traîneau. Les lueurs leur font peur. Ce soir ils sont plutôt calmes, mais que survienne une véritable aurore... alors, tu les entendras se déchaîner.

— Une aurore ?

— Une aurore boréale. Ce qui se produit ce soir n'en est qu'une pâle imitation, une sorte de prélude, comme au début d'un feu d'artifice.

Nous nous sommes amusés à glisser sur l'étang. Redevenue sérieuse, elle m'a demandé si je comptais rester longtemps à l'Ermitage.

— Je suis un invité. Je partirai dès que je pourrai. En attendant, j'en ai marre de vivre en parasite. Je pourrais aider à la cuisine, par exemple.

— C'est le domaine de Papa. Jamais il n'accepterait.

— Je croyais que c'était celui de Marcel Fortunat.

Non. C'est par jeu que Marcel nous a servis l'autre soir. Il adore jouer les maîtres d'hôtel parisiens. J'aime beaucoup Marcel, il ajoute du piment à nos vies. On se meurt souvent d'ennui ici.

— Pourquoi y viens-tu ?

— Pour faire plaisir à Papa.

Une petite bête a croisé notre chemin. Frrrout... et elle était déjà disparue.

— Je pourrais faire le ménage.

— Là, tu parles de mon domaine. J'accepte que tu m'aides.

« Tiens, tiens ! me suis-je dit. Mademoiselle condescend à salir ses jolies mains. Mademoiselle monte dans mon estime. »

Nous avons marché un peu autour de l'étang. Elle s'est soudain arrêtée et m'a fait face.

— Je m'appelle Gljulfra.

— Tu me l'as déjà dit, mais ton vrai nom est Vigdis.

— Vigdis est le nom qu'on m'a donné. J'en ai choisi un autre, plus poétique.

— Poétique peut-être, mais drôlement dur à prononcer. Tu permets que je continue à t'appeler Vigdis ?

Elle s'est mise à rire.

— Tu sais bien que oui. Maintenant qu'il sait à quoi s'en tenir sur ton compte, je suis sûr que Papa aimerait que tu restes à l'Ermitage. Tu remplacerais Leifr qui veut faire carrière en astrophysique.

— Et toi ?

— Mon cœur balance entre une carrière de pianiste et rester ici pour faire plaisir à Papa. Mais je ne voudrais pas vivre seule à l'Ermitage.

J'ai répondu que j'y penserais. Que pouvais-je dire d'autre dans l'instant ? Ce que je venais d'entendre ressemblait à une demande en mariage. À quinze ans ! Il y en a à qui ça n'arrive jamais.

Je clos ici cette partie du récit présentée sous forme de journal. Les événements à venir se bousculent trop. Je reviens donc à un mode plus conventionnel.

8

ATTAQUE EN PIQUÉ

Lumières dans le ciel.
Froissements.
Aurore boréale.

MARCEL ET LEIFR SONT RENTRÉS À L'ERMITAGE UN PEU AVANT L'AUBE DU MARDI TROIS FÉVRIER. POUR UNE MEILLEURE aération, j'avais entrouvert la porte de ma chambre qui n'a pas de fenêtre puisqu'elle se trouve à l'arrière de la caverne. Je les ai entendus chuchoter dans le corridor.

— Il y aura réunion dans le bureau de Papa, m'a annoncé Vigdis après le déjeuner. Mais à quinze heures seulement, car il faut laisser dormir les pauvres chéris. Comme tu fais partie des nôtres maintenant, on veut bien t'inviter… Ah ! Apporte une chaise si tu ne veux pas t'asseoir par terre.

Le bureau de Björn était minuscule. Coude à coude, nous entourions une table de travail que recouvrait une carte de la région. Marcel Fortunat a placé un index sur un point situé à environ vingt-cinq kilomètres à l'ouest-sud-ouest de l'Ermitage, le lac Shikapio.

— C'est là qu'ils se sont posés. Trois avions et, au jugé, une douzaine d'hommes. Ils ont installé leur campement sur la rive nord du lac Shikapio, près de la passe qui mène au lac Léon-Pouliot[13].

— De chaque côté de la passe, les sommets font près de mille mètres, a ajouté Leifr. Ils sont donc dénudés[14]. J'ai gravi celui de l'est. De là, avec des jumelles, on peut très bien les observer.

— Ont-ils des motoneiges ? a demandé Björn.

— Oui, deux au moins.

— Nous sommes perdus !

— Voyons Papa ! a fait Vigdis. Comment pourraient-ils découvrir nos travaux d'excavation ? La neige les recouvre.

— Je m'inquiète à propos de l'Ermitage, pas du filon. Des diamants, j'en ai assez pour assurer notre confort durant deux siècles. Mais l'Ermitage ! Notre solitude ! Notre

13. On tend à redonner aux lieux leur nom d'origine amérindienne. Les cartes suivent… mais avec du retard.

14. La ligne des arbres se situe à une altitude d'environ 950 mètres dans les Otish.

paix ! J'imagine le bruit de leurs maudites machines s'approchant…

— Et celui des balles lorsqu'ils nous fusilleront à bout portant, a glissé Marcel.

Tous les regards se sont tournés vers lui. On attendait des explications, il les a données.

— À moins d'être fous à lier, ces gars-là ne sont pas venus à la recherche d'un filon. En plein hiver ? Voyons ! Ça n'a aucun sens. Non. Ils veulent plutôt mettre la main sur ceux qui connaissent l'emplacement du filon, les faire parler, puis les éliminer. L'Ermitage existe depuis plus de cinq ans. On en a causé le soir, au coin du feu, dans les réserves amérindiennes… à Pointe-Bleue, à Nitchequon, à…

— Ils savent où nous sommes ! s'est exclamée Vigdis.

— Pas précisément. Sinon, ils se seraient posés beaucoup plus près. Sur le lac Giriar ou sur celui que nous avons baptisé du nom de ton père[15]. Comme ces gars-là ne se déplacent qu'en motoneige, ils n'inspecteront que le territoire accessible à l'engin.

---

15. Le lac Björn se trouve au nord du mont Stefansson, à mi-chemin entre le lac Giriar et l'Ermitage. Aucun toponyme ne l'identifie sur la carte N° 23D (2e édition) de Ressources naturelles Canada.

J'ai demandé si une motoneige pouvait circuler dans une piste empruntée par un attelage de chiens. On m'a répondu que oui.

— C'est donc qu'une motoneige peut emprunter le même chemin que l'attelage qui m'a conduit ici.

— Seigneur ! s'est exclamé Leifr.

Il s'est penché sur la carte.

— Voyons... Nous avons ramassé Patrick au nord-est de lac Conflans, près de la rivière des Quatre-Temps. C'est bien ce que je craignais : pour l'emmener ici, nous sommes passés entre les lacs Shikapio et Esther-Blondin, c'est-à-dire à environ cinq kilomètres du campement de ceux qui veulent nous éliminer.

— Et il n'a pas neigé depuis, a dit Atsen. Vos traces ne pourront pas leur échapper.

— Papa aurait dû écouter Marcel Fortunat, m'a confié Vigdis. Nous serions tout aussi riches, nous habiterions Montréal, l'Ermitage nous tiendrait lieu de chalet d'été et nous ne risquerions pas de nous faire assassiner.

Voulant s'entretenir en privé avec Atsen et Marcel, Björn avait ajourné la réunion. Assis dans le *boudoir au piano*, mademoiselle Vigdis et moi attendions qu'on nous rappelle.

— Il lui avait conseillé quoi, Marcel ?

— D'agir en toute légalité. C'est-à-dire piqueter ses claims[16] et de les déclarer plutôt que d'établir un réseau clandestin pour écouler ses diamants.

— Pourquoi en a-t-il décidé autrement ? Par avarice ? Parce qu'il voulait tout garder pour lui ?

— Non. Pour préserver sa solitude. Depuis la mort de Maman, il fuit la société. Comme si c'était la société qui l'avait tuée. Il craignait pour ici une ruée vers le diamant semblable à la ruée vers l'or du Klondike. Il est bien avancé maintenant.

— Si ce n'était de ton père, préférerais-tu vivre à Montréal ou ici ?

— À Montréal, bien sûr. Mais je n'abandonnerai jamais Papa. Il serait trop malheureux. Déjà que Leifr…

Sur ces entrefaites, Marcel est venu nous chercher. Björn nous voulait tous à nouveau dans son bureau.

À notre arrivée, Leifr occupait déjà le bureau de Björn, mais Atsen n'y était plus.

— Atsen est parti ? a demandé Vigdis.

16. Claim : concession minière d'un quart de mille de côté qu'on délimite à l'aide de pieux plantés aux quatre coins.

— En route pour son camp, a répondu Björn. Avec tous ces survenants dans le coin, il craint qu'on ne le pille durant son absence.

— Il nous abandonne ?

— Comprends que tous ses biens sont là, ses chers livres entre autres. Il m'a promis de revenir dès qu'il se sera assuré que personne ne rôde autour de son camp.

En vérité, Atsen nous abandonnait à un grand péril pour au moins trois jours.

À l'évidence, j'avais mal jugé l'homme. Björn a élevé la voix :

— Le fait qu'Atsen nous ait quittés doit nous inciter à agir avec encore plus de détermination et tout de suite, car il n'y a pas de temps à perdre. Leifr, qui aime œuvrer seul, tentera de saboter un de leurs avions. Ça les fera réfléchir. Il me reste quelques bâtons de la dynamite qui devait servir à agrandir la caverne.

— Ah, quel bonheur ! Moi qui adore l'odeur enivrante de la poudre.

— Tu la feras péter très fort, cette nuit. Quant à Patrick, je propose qu'il accompagne Marcel sur le sommet qui domine le lac Shikapio à l'est, histoire de jeter un coup d'œil sur les réactions matinales de ces messieurs au feu d'artifice allumé par Leifr au cours de la nuit.

— Et moi ? a demandé Vigdis.

— Comme tu es la seule à pouvoir imposer le silence à nos chiens, tu me conduiras jusqu'à un point situé entre les lacs Esther-Blondin et Shikapio.

— Par le même chemin utilisé pour transporter Patrick ici ?

— Bien sûr. Une fois que nous serons parvenus à cet endroit, je descendrai.

— Et moi ?

— Tu prendras la direction sud jusqu'au lac Lagopède, puis tu reviendras sur tes pas pour me reprendre là où tu m'auras laissé. Entre-temps, j'aurai abattu quelques arbres sur la piste. Tu m'aideras à en abattre d'autres puis, après avoir transbahuté le traîneau par-dessus l'abattis, nous retournerons à l'Ermitage. Avec un peu de chance, ces voyous croiront que la piste de traîneau relie la rivière des Quatre-Temps au lac Lagopède plutôt qu'à l'Ermitage. Tiens ! jette un coup d'œil là-dessus.

Björn a tendu à Vigdis un plan grossièrement dessiné. Pendant qu'elle l'examinait, il a ajouté :

— Le terrain situé à l'est du lac Shikapio étant impraticable aux motoneiges, la section de piste entre l'abattis et l'Ermitage risque peu d'être découverte.

— Sauf d'un avion, a fait remarquer Leifr.

Nous nous sommes séparés sur ces mots, car il fallait nous préparer et, déjà, la nuit tombait.

Des lueurs sillonnaient le ciel. On aurait dit une feuille d'aluminium poli qu'on froisserait devant une source lumineuse.

— La grande aurore approche, m'a dit Marcel. Ce sera pour demain ou après-demain.

— L'aurore boréale ?

— Oui. C'est la période des grandes éruptions solaires. Veux-tu qu'on se repose un peu ?

— Non, ça peut aller.

En fait, j'étais au bord de l'épuisement et j'avais mal à l'aine droite. Pas question de l'avouer, cependant. J'ai consulté ma montre : 6 heures 20. Il ferait bientôt jour.

Nous avions quitté l'Ermitage un peu avant deux heures du matin, en compagnie de Leifr dont nous nous étions séparés aux abords du lac Shikapio. Depuis quelques minutes, Marcel et moi avions abandonné nos raquettes, vu la raideur accentuée de la pente. Nous avancions maintenant entre des épinettes naines de plus en plus espacées.

Marcel venait de m'annoncer que nous approchions du sommet, lorsqu'un bruit sourd nous est parvenu. Leifr venait de faire parler la poudre.

Il devra maintenant courir à perdre haleine sur la surface gelée du lac ; courir jusqu'au plus épais du boisé, s'y enfoncer, emprunter à rebours ses propres traces jusqu'à ses raquettes, les chausser, revenir sur ses pas, effacer ses traces du mieux qu'il le pourra sur plusieurs mètres à l'aide de branchages d'épinette, puis se diriger vers l'endroit où nous nous étions séparés il y a quelques heures déjà et nous y attendre.

Tout un programme !

À notre départ de l'Ermitage, je m'étais inquiété :

— Auras-tu le temps de tout faire ça ?

— Amplement, mon vieux. Ça va leur prendre une éternité avant de se rendre compte de ce qui s'est passé au juste.

Le soleil s'est enfin levé. Il éclaire le lac de plein fouet. À plat ventre sur la neige irisée, Marcel et moi observons à la jumelle ce qui se passe plus bas sur le lac Shikapio. Un des trois avions penche de côté et repose sur une aile. Des hommes l'entourent.

— Leifr a fait sauter le train d'atterrissage, me dit Marcel. Tiens ! on a décidé d'inspecter les alentours.

En effet, trois hommes viennent de monter à bord d'un des avions intacts. Déjà, il glisse sur le lac pour prendre son envol.

— Nous ferions mieux de redescendre.

— Attendons encore un peu, répond Marcel.

L'avion décolle. À basse altitude, il fait le tour du lac, survole le campement installé sur la rive nord et s'engouffre dans la passe qui mène au lac Léon-Pouliot. Je me sens un brin soulagé. Marcel, lui, éclate de rire.

— Regarde ! Il y en a un qui se gratte la tête. Sont pas rapides, les gars.

Tout à coup, ça ronronne derrière nous. En plein centre du soleil levant se détache un avion.

Il fonce sur nous.

Nous nous aplatissons sur le sol, la face dans la neige.

Tsst… tsst ! font les balles en s'enfonçant dans la neige.

Marcel crie, je lève la tête.

Une tache de sang s'agrandit sur sa nuque.

Je le retourne, il est mort.

Je me précipite vers la ligne des arbres, car déjà l'avion revient.

Vingt ans après les événements, je comprends enfin que c'est le soleil qui m'a sauvé d'une mort certaine, ce matin-là, alors que je fonçais vers la ligne des arbres. Au moins cent mètres me séparaient d'un boisé assez touffu pour m'abriter quand l'avion m'a survolé à nouveau sans qu'un coup de feu ne soit tiré.

Pourquoi ?

L'astre levant aveuglait les tireurs. Ils m'avaient perdu de vue. D'ailleurs, au troisième passage de l'appareil, alors qu'il fuyait le soleil, c'est toute une salve qui a salué mon entrée dans la forêt.

Trop tard cependant, j'étais déjà à l'abri.

Mais ils savaient où je me terrais et ils étaient nombreux et armés.

En suivant nos traces faites à la montée, j'ai pu retrouver mes raquettes.

Je les chausse et reprends aussitôt le chemin de l'Ermitage. Surtout, ne pas moisir dans les parages.

J'ai cinq kilomètres à faire avant de rejoindre l'endroit où Leifr doit nous attendre. Après, nous devrons parcourir vingt autres bornes pour rejoindre l'Ermitage. En aurai-je la force ?

J'entends du bruit devant moi.

Quelqu'un marche à une certaine distance. Il marche vite.

Les pas se rapprochent, nous allons donc nous croiser.

Fuir ? On me rattrapera, c'est sûr.

Me cacher ? Impossible, puisque la neige trahira le moindre de mes déplacements.

Le cœur battant la chamade, je poursuis ma marche. J'aperçois une silhouette. Je reconnais Leifr.

— Plutôt que geler à vous attendre, j'ai préféré me porter à votre rencontre. Marcel n'est pas avec toi ?

Je lui raconte notre aventure.

9

QU'EST-IL ARRIVÉ À BJÖRN ET À VIGDIS ?

Pendent des glaçons.
Des dents
avant la morsure.

LES YEUX RIVÉS SUR LE DOS DE LEIFR, J'AVANCE COMME UN SOMNAMBULE PARMI LES ÉPINETTES NOIRES, RACHITIQUES, laides. Plusieurs agonisent et leurs branches mortes, que je ne prends plus la peine d'écarter, me lacèrent la figure. Une goutte de sang perle alors, que le froid a vite fait de coaguler.

Quelle heure est-il ? J'ai bien une montre à mon poignet, mais la manche d'un gros chandail la recouvre, puis celle d'un anorak, sous un gant de laine et une mitaine de cuir. Dégager tout ça juste pour satisfaire ma curiosité ? Trop compliqué. Nous sommes en marche depuis une éternité et le ciel est d'un vert crépusculaire. J'en déduis que c'est la fin de l'après-midi. Je me contente de cette approximation.

Leifr se retourne.

— Nous approchons.

Ça fait vingt fois qu'il me l'annonce.

Lui ne semble pas épuisé. Il est plus âgé que moi, plus entraîné aussi à ces longs parcours en raquettes. Je le retarde, bien sûr.

Tant pis ! Je n'ai plus de fierté.

Un avion nous a survolés tout à l'heure, ce qui a semblé inquiéter Leifr. Pas moi. L'épuisement m'a conduit sur un sommet d'une telle hauteur que même les problèmes reliés à ma survie me semblent insignifiants.

— Heureusement que la forêt est dense par ici, a dit Leifr. Espérons qu'on ne nous a pas vus.

« Je n'en ai rien à foutre, Leifr ! Je m'en fiche comme de l'an quarante ! Même la mort de Marcel m'indiffère en ce moment ; comme si le gars était un quelconque habitant du Botswana dont j'aurais appris l'assassinat par la télévision. »

Nous longeons des blocs erratiques, témoins du travail des glaciers il y a quelques milliers d'années. Certains nous surplombent. De leur faîte pendent des glaçons. On dirait des dents avant la morsure.

Nous passons entre deux blocs ; un corridor de choix pour le vent qui s'y engouffre. Brrr. J'ai soudain très froid.

Nous pénétrons dans une sapinière. Plus le moindre souffle de vent. Un silence ouaté plutôt ; un calme de monastère, un confort paradisiaque. Je m'arrête, je m'effondre sur un tapis de neige qui m'accueille comme un nuage. C'est moelleux... je vais plonger dans le sommeil.

Leifr revient sur ses pas. Il me relève, me secoue, me gifle.

— Je vois bien que c'est au-dessus de tes forces, vieux. Mais il n'y a pas d'alternative. Il faut continuer.

Nous repartons. J'avance comme dans un rêve.

— Nous arrivons ! me crie Leifr.

« Blagueur ! » me suis-je dit.

— Nous sommes arrivés.

Je lève la tête. Je ne suis plus qu'à quelques pas de l'Ermitage.

J'oublie les vingt dernières heures et l'infernal parcours aller-retour d'environ cinquante kilomètres. Je bénéficie soudain d'un regain d'énergie.

J'enlève mes raquettes et vite je rejoins Leifr à l'intérieur.

— Bonjour tout le monde ! dis-je en criant.

Personne ne répond.

— Ils ne sont pas là, m'annonce Leifr.

J'incline à penser que ceux qui nous aiment et qui sont partis pour un monde meilleur viennent parfois nous visiter en songe pour nous préparer à affronter ce qui est sur le point de survenir ou nous signaler que nous pouvons toujours compter sur eux.

Ce que j'ai vécu au cours de la nuit du 4 au 5 février me le laisse croire.

Pour l'instant, j'en suis à cette fin d'après-midi qui a précédé mon rêve alors que Leifr et moi commencions à nous inquiéter du retard de Björn et de Vigdis.

— Comptons bien, a fait Leifr. Ils ont quitté l'Ermitage en même temps que nous la nuit dernière, soit à 2 heures du matin.

— Björn m'a dit qu'il voulait travailler à l'abattis dès l'aube. Mais Vigdis devait se rendre au lac Lagopède, elle.

— C'est à six kilomètres de l'endroit où elle devait laisser Papa. Le terrain est facile. Un aller-retour de moins de deux heures pour les chiens.

— Elle a donc dû rejoindre Björn à 9 heures au plus tard.

— Ce qui restait d'arbres à abattre n'a pas dû prendre plus d'une heure à Papa. Nous en sommes à 10 heures.

— Reste le retour.

— Quatre heures, tout au plus, en ménageant les chiens. Ils devraient donc être ici depuis 14 heures.

J'ai regardé ma montre : 18 heures.

— Il est sûrement arrivé quelque chose. Allons à leur rencontre.

— Non, mon vieux, ça ne servirait à rien. Il fait noir et nous sommes épuisés. Le mieux est d'aller dormir. Nous aviserons demain.

J'ai dû m'endormir dès que ma tête a touché l'oreiller.

Je ne suis plus dans ma chambre de l'Ermitage, *mais dans les Alpes françaises avec Papa. Le paysage me rappelle les Aiguilles de Chamonix.*

J'escalade une paroi toute de surplombs et de grandes dalles noires. Une paroi si verticale que le cou me fait mal quand je cherche à en apercevoir le sommet.

Je grimpe par une longue fissure dans laquelle je coince mes mains malgré le froid et les gerçures. J'expire de petits nuages blancs.

J'atteins une vire, je m'assois.

Plus haut, la paroi se redresse davantage. C'est un mur. Un mur sans défaut, me semble-t-il, sans la moindre petite prise apparente pour s'y accrocher. Je veux l'attaquer, pourtant.

Le froid a engourdi mes mains. Avec de grands gestes, je les frappe sur mon parka. Le sang afflue au bout de mes doigts.

Et voilà que je reprends la délicate et aérienne escalade. Mes doigts se crispent sur de fines aspérités, comme les griffes d'un vautour sur la proie attrapée. Mes pieds dansent sur de minuscules grattons.

J'atteins un dièdre. On dirait un grand livre mi-ouvert. Un grand livre mi-ouvert sur les secrets de la terre et du ciel.

J'écarte jambes et bras selon un angle pareil au dièdre, mais dans le sens contraire. Comme pour l'ouvrir davantage, je pousse très fort sur ses parois avec mes mains et mes pieds.

C'est ainsi que je me hisse.

En haut m'attend Papa. En bon premier de cordée, il ne m'assure pas à sec, mais me laisse juste assez de mou[17] *pour que je puisse grimper en toute autonomie, sans que la corde ne m'aide. Mais elle est là pourtant, qui me retiendra s'il m'arrive de dévisser*[18]*.*

---

17. Mou : jeu de la corde entre l'assureur et le grimpeur lorsqu'elle n'est pas tendue.
18. Dévisser : tomber, dans le jargon des alpinistes.

En haut m'attend Papa. Il veille à ma sécurité, mais respecte ma liberté.

Mais je ne le vois pas. La corde non plus, qui nous relie, lui et moi.

On me secoue.

— Réveille-toi, me dit Leifr. J'ai préparé notre déjeuner.

— Sont-ils revenus ?

— Non.

— C'est inquiétant.

— Je sais.

— Y a-t-il des abris dans le coin ?

— Non, sauf un camp en ruine du côté du lac Lagopède. Mais ils peuvent très bien en improviser un avec le traîneau et la toile imperméable qui le recouvre. Ils ont un petit poêle à naphte et assez de carburant pour une nuit.

Au déjeuner, Leifr et moi avons causé de Marcel Fortunat.

— Je vais beaucoup le regretter, m'a dit Leifr. L'âme de l'Ermitage, c'était lui et non mon père.

— Je l'aurais imaginé dans un salon parisien plutôt qu'au cœur d'une nature sauvage.

— C'est que tu n'as pas eu le temps de bien le connaître. Malgré des personnalités opposées, Papa et lui partageaient un même désir profond de solitude et de paix. Marcel avait assez fréquenté les salons parisiens pour en mesurer la vacuité. C'est par dégoût qu'il a quitté Paris. Il me l'a dit. Il ne serait pas resté ici encore bien longtemps, cependant.

— Pourquoi ?

— Par souci d'indépendance. Papa, lui, veut contrôler tous ceux qui l'entourent. C'est dans sa nature. Il se voit comme un chef omniscient et vertueux. Or, Marcel était un rebelle-né.

— Björn cherche-t-il à vous contrôler, toi et Vigdis ?

— Oui. Pour notre bien, se fait-il accroire. Il me voyait géologue, je lui aurais succédé ici. Déçu de ce que j'ai choisi l'astrophysique, il s'est rabattu sur Vigdis. J'ai peur que la pauvre ne cède à son chantage.

— Du chantage ?

— Oui, du chantage affectif et subtil. De petites phrases dites en passant comme : « Si Marcel part, je devrai me morfondre seul ici, vu que ton frère m'abandonne » ou « Ton papa pourra-t-il toujours compter sur toi, Gljulfra ? » Elle aime qu'on l'appelle Gljulfra. Papa est un égocentrique de première catégorie.

— Tu n'aimes pas ton père ?

— Oh oui ! mais je suis lucide. Je l'aime assez en fait pour risquer ma vie afin de sauver la sienne. Mais il ne fera pas de moi un géologue. Astrophysicien je veux être, astrophysicien je serai. Bon ! assez causé. Leur absence m'inquiète de plus en plus. Je vais atteler Boy.

— Boy ?

— C'est le chien que j'ai entraîné à me tirer sur des skis. Un moyen de transport ultrarapide. Toi, tu restes ici.

— Pourquoi ?

— Parce que tu me retarderais et pour garder le fort.

Leifr m'a quitté un peu avant 8 heures. Je l'avais auparavant aidé à harnacher Boy, un husky aux yeux bleus, d'assez grande taille pour sa race.

Nous eûmes du mal, car le chien ne tenait pas en place. Tout à sa joie de quitter sa niche pour parcourir les grands espaces, il sautait sur nous, appuyait ses pattes sur notre poitrine et nous léchait la figure. Tout ça accompagné de petits jappements qui tintaient comme des cloches de mariage. Ces bêtes-là ne vivent que pour courir et tirer.

Carabine en bandoulière, une main tenant la laisse et l'autre ses bâtons, Leifr a crié : Marche ! et c'est comme s'il s'était envolé. Je l'ai un temps suivi des yeux sur la piste qu'avait empruntée l'attelage de Björn et de Vigdis, l'avant-dernière nuit.

Avant de rentrer, j'ai marché jusqu'à l'étang où j'avais patiné en compagnie de Vigdis, de la fée Vigdis qui parcourait l'étang comme une sylphide son domaine aérien, qui avait dessiné un *huit* parfait sur la glace, pour moi seul, pour que j'admire sa grâce, et qui jouait si finement du piano qu'on lui pardonnait ses chichis et ses minauderies ; des manières qui, tout compte fait, ajoutaient du piquant à la personnalité de Mademoiselle.

Que lui était-il arrivé ?

Avait-elle connu le même sort que Marcel et Papa ?

Écrasé par la dureté du monde, j'ai repris le chemin de l'Ermitage. J'y étais presque lorsque le ciel a vrombi dernière moi. J'ai couru jusqu'à un boisé proche que j'ai atteint quand l'avion le survolait.

J'avais pu me cacher à temps. Mais la piste et l'Ermitage avaient-ils échappé à des yeux fouineurs ?

Une fois rentré, j'ai déniché une carabine dans le bureau de Björn et je me suis installé près d'une fenêtre.

L'Ermitage étant une caverne, toutes ses ouvertures se trouvaient en façade. Je ne risquais pas d'être surpris par derrière.

J'ai commencé un guet entrecoupé de périodes de somnolence, car je n'avais pas complètement récupéré de ma fatigue de la veille.

En fin d'après-midi, on a frappé à la porte. Des coups lourds, insistants, comme provenant d'un désespéré.

Par le judas, j'ai aperçu Leifr. Il s'appuyait au chambranle.

J'ai ouvert.

— Ils ont tué Boy, m'a-t-il dit sur le seuil. Il a ajouté qu'il avait reçu une balle à la cuisse.

Je l'ai aidé à regagner sa chambre et, sur ses instructions, j'ai soigné sa blessure. La balle, en fait, n'avait fait qu'effleurer un muscle avant de ressortir. Rien de grave donc, mais une incapacité de se déplacer sur de grandes distances au cours des jours à venir.

Voulant laisser Leifr récupérer, je ne l'avais pas questionné sur son aventure. C'est lui qui a pris l'initiative de me la raconter. À peine étais-je revenu à mon poste de garde que, sautillant sur une seule jambe, il venait m'y rejoindre.

— Ça m'a foutu un de ces chocs, mon vieux ! Boy et moi étions parvenus à moins de deux kilomètres de l'endroit où Björn devait descendre et Vigdis bifurquer vers le lac Lagopède quand, juste après un tournant, nous sommes tombés sur une de leurs fichues motoneiges. À l'arrêt, heureusement. J'ai vu deux hommes épauler et tirer plusieurs coups de feu dans notre direction. Boy a été tué sur le coup, j'ai été atteint à la cuisse.

— Ça va mieux ?

— Oui. C'est une petite blessure de rien du tout. Sur le coup, je n'ai presque rien senti. Et pas question d'évaluer la gravité de la blessure à ce moment-là. J'ai vite pris le bord du bois.

— Avec tes skis ?

— Oui. La forêt n'est pas trop touffue par là. J'ai longé la piste en direction d'ici sur environ un kilomètre, puis je me suis hasardé à la reprendre. Eux sont restés sur place. Sinon, j'aurais entendu le bruit de la motoneige. Ça m'a paru étrange.

— On les avait peut-être mis de faction à cet endroit.

— Probablement.

— Pourvu que Björn et Vigdis leur aient échappé.

— Dans ce cas, cela n'aurait pu se faire qu'avant leur arrivée à l'endroit de l'abattis éventuel, puisque la motoneige l'avait déjà franchi. Ils seraient donc ici, s'ils avaient pu fuir.

— À moins que, devant l'obstacle, ces bandits aient flairé la ruse. Ils l'auraient contourné pour voir ce qu'il y avait de l'autre côté. Voyant la piste se poursuivre, ils se seraient affairés à en nettoyer le bout obstrué.

— Cela se tient.

— Mais ils auraient capturé Björn, alors.

— Oh non ! Je vois la scène d'ici : Papa les entend venir ; il se cache. Une fois ces messieurs occupés à leur nettoyage, il se dirige vers le lac Lagopède dans le but d'intercepter Vigdis à son retour.

Leifr s'est levé. Il a fait quelques pas dans la pièce, s'est rassis. Sa jambe ne semblait pas le faire trop souffrir.

— Plus j'y pense, a-t-il repris, plus je me dis que c'est ce qui est arrivé. Je rêve peut-être, mais je crois que Vigdis et Papa tentent actuellement de rejoindre l'Ermitage par l'est en contournant le mont Stefansson. Ils ont bivouaqué quelque part sur la piste.

Après souper, je suis sorti inspecter les alentours.

— Apporte une arme, m'a conseillé Leifr.

Ce que j'ai fait.

10

MAHIGAN

Ils fuient sur la piste.
L'aurore
les engloutit.

J'AI CHAUSSÉ DE PETITES RAQUETTES MODERNES. ELLES N'ONT PAS L'ÉLÉGANCE DE CELLES FABRIQUÉES PAR LES AMÉRINDIENS ET portent moins bien sur la neige. Mais elles permettent des déplacements plus rapides en terrain accidenté.

J'ai pris un fusil à deux coups dont on se sert pour la chasse au canard. Je préfère la cartouche à la balle. Étant mauvais tireur, elle augmente mes chances d'atteindre un éventuel agresseur de quelques plombs sans pour autant le blesser gravement.

— Tu veux des cartouches de rechange ? m'a demandé Leifr.

— À quoi bon. Je ne fais qu'inspecter les alentours.

Pour l'heure, je traverse la piste et emprunte le sentier qui mène à l'étang-patinoire. Il fait nuit noire, mais des chapelets d'étoiles pendent du ciel. Sur ma gauche, l'horizon s'illumine parfois brièvement, comme lorsque l'orage gronde, l'été, et qu'au loin se produisent des éclairs de chaleur.

Je passe devant la niche de Boy. Les animaux ont-ils une âme ? Il me paraîtrait injuste que Boy soit retourné au néant après une vie de service. Papa, lui, estimait que le néant n'existe pas. « Comment ce qui n'est pas pourrait-il être ? » disait-il. Pour les Amérindiens, tout est vie, tout est relié.

J'entends gronder. Cela vient de très loin, sur ma gauche. Les aurores boréales émettraient-elles du bruit ? Une sorte de son et lumière ?

L'étang miroite aux reflets irisés du ciel. De petites flammes s'y allument, éphémères. Des mouches à feu d'hiver ? Des reflets plutôt de l'aurore boréale qui embrase maintenant tout un pan du ciel et qui émet un bruit différent de celui de tantôt. Non plus un vrombissement, mais un bruissement de neige écrasée par plusieurs personnes.

Sous le couvert des sapins, je m'approche de la piste. Sur fond de ciel enluminé se détachent une dizaine de silhouettes.

On dirait une patrouille de G.I.

Des hommes armés de carabines que certains portent en bandoulière, les autres à la main.

Et je me rends compte que le vrombissement entendu tout à l'heure provenait de motoneiges tirant un traîneau qu'on a stoppées loin de l'Ermitage pour ne pas donner l'alerte et que l'assaut en sera bientôt donné par les êtres aux allures de fantômes qui approchent.

Tout près se dresse un gros rocher dont la base est masquée par quelques petits sapins.

Un abri qui en vaut un autre.

Je m'y rends.

Un peu avant d'arriver à ma hauteur, la bande s'est séparée en deux et a quitté la piste. Un groupe s'est installé entre moi et l'orée du bois, l'autre en a occupé la lisière du côté de l'Ermitage.

Vingt pas me séparent de la piste et trente de l'Ermitage.

Il y a tout au plus quinze pas entre moi et les assaillants qui me tournent le dos. Environ quarante pas me séparent de ceux d'en face.

Je distingue d'autant leurs silhouettes qu'ils ne cessent de bouger. J'entends chuchoter ceux qui me tournent le dos.

De l'autre côté de la piste, quelqu'un se détache du groupe et rampe jusqu'au seuil de l'Ermitage. Il traîne un objet derrière lui.

Un objet qu'il tente maintenant de caler dans la neige, près de la porte. Un fil dépasse de l'objet qui ne peut être qu'une machine infernale.

On veut faire sauter la porte.

J'arme mon fusil. Je tire au-dessus de la tête de l'individu. Les plombs criblent le haut de la porte. Il lâche son objet et court rejoindre ses comparses.

Stupeur chez les assaillants.

Ceux qui me tournent le dos se dispersent dans la forêt. Ils savent maintenant qu'un ennemi est tapi derrière eux.

Ils vont le chercher.

Ils vont me trouver.

Il me reste une cartouche.

On a bougé tout près.

Appuyé à un rocher, je ne risque pas une attaque par derrière. C'est donc le long d'un arc de 180 degrés qu'oscille mon regard, à l'instar de celui de certains spectateurs à un match de tennis.

On bouge à nouveau sur ma droite, à la limite de mon champ de vision. J'ai beau essayer de percer la nuit, je ne vois rien.

Bang !

Quelqu'un a tiré sur l'Ermitage. On réplique de l'intérieur, de la fenêtre du salon. Alerté par mon coup de feu, Leifr s'était préparé à riposter.

Au tir de Leifr répond une pétarade provenant de ceux qui m'entourent. De la fenêtre de la salle à manger, l'Ermitage riposte. Et voici qu'on tire aussi de celle du bureau de Björn.

Leifr ne serait donc plus seul ?

Il l'est toujours, bien sûr. Mais c'est qu'il se déplace d'une fenêtre à l'autre pour tromper l'ennemi, lui faire croire que l'Ermitage est défendu par plusieurs personnes.

— Psst !

L'appel vient de l'endroit où on bougeait tout à l'heure.

On fait un pas dans ma direction.

Je pointe mon arme.

L'homme met un doigt sur sa bouche.

C'est Atsen. Sans bruit, il s'installe à mon côté.

— Reste près de moi, me chuchote-t-il. Ne crains rien, ils ne t'attaqueront pas.

Cela fait bien cinq minutes qu'on ne tire plus de part et d'autre.

Règne un silence que meuble parfois un faible crépitement, comme lorsqu'on approche deux fils électriques sous tension.

Illusion sonore ?

L'aurore boréale est à son apogée. Des filaments verts, de toutes les sortes de vert, relient le ciel à la terre ; des oriflammes, hérauts d'un autre monde.

Soudain, un cri perce la nuit, puis un autre. Intenses, stridents, effrayants.

— Maaahiigan ! Maahiigan[19] !

Des cris auxquels répondent des hurlements ; de devant, de derrière, de partout.

Des hurlements qui cessent tout à coup.

Et c'est le piétinement de dizaines de bêtes qu'on entend à présent et les cris d'épouvante de ceux qu'elles poursuivent.

Certains abandonnent leur arme, d'autres tirent au hasard.

C'est une troupe désordonnée qui fuit sur la piste vers l'aurore boréale, comme pour s'y engloutir ; c'est un lambeau de la Grande Armée de Napoléon qui fuit la Russie ; c'est la Bérézina[20].

De nulle part, surgit quelqu'un qui me donne une bourrade sur l'épaule.

— M'as-tu entendue crier ? me demande Vigdis.

---

19. Mahigan : loup en algonquin.
20. Bérézina : lors de la retraite de Russie, des centaines de soldats de la Grande Armée se sont noyés en tentant de franchir cette rivière.

— Et comment ! Björn n'est pas avec toi ?

— Boum ! Boum ! me répondent deux sourdes explosions du côté de l'aurore boréale.

— Ce doit être Björn, dit Atsen. Il aura fait sauter leurs motoneiges.

— Ils devront marcher jusqu'au lac Shikapio ?

— Jusqu'à Nitchequon, corrige Atsen. Je me suis occupé de leurs avions, cet après-midi.

— Et les loups ?

— Ils vont les accompagner. Ça les fera marcher plus vite.

Björn est venu nous rejoindre à l'Ermitage. Nous sommes réunis au salon. Je demande à Atsen pourquoi il a fait mine de nous abandonner.

— Pour ne pas vous créer de faux espoirs. Je n'étais pas sûr de retrouver les loups à temps. Je savais que la meute se tenait aux environs du lac Lagopède, car c'est là qu'elle va toujours après avoir chassé aux abords du lac Conflans. Mais le territoire est vaste. Par chance, Kitchi[21] m'a repéré et est venu me saluer.

---

21. Kitchi : de la langue crie. Pourrait se traduire par grand. S'ajoute souvent à un mot. Manitokitchi, par exemple, signifie grand esprit.

— Kitchi ?

— C'est le chef de la meute, me répond Vigdis.

— Donc, je dormais dans la cabane en ruine lorsque Mademoiselle a osé venir troubler mon sommeil.

— J'ai vu ses raquettes plantées dans la neige et Kitchi rôdait autour de la cabane.

— Voilà donc Mademoiselle Vacarme, alias Vigdis, alias Gljulfra qui entre aux petites heures du matin et me raconte son histoire. Nous nous partageons les tâches : j'irais rejoindre Björn et elle s'occuperait d'emmener la meute dans les parages de l'Ermitage en suivant la piste qui le rejoint par l'est. Kitchi lui obéit aussi bien qu'à moi, et ses chiens, sans aller jusqu'à fraterniser, acceptent la présence de mes loups.

— J'étais allé inspecter les alentours et j'allais commencer l'abattage, dit Björn, quand Atsen s'est pointé. Avant de me quitter pour le lac Shikapio, il m'a mis au courant de ce que faisait Vigdis. Ce qu'il m'a dit m'a fait renoncer à l'abattis : notre système de défense reposait maintenant sur les loups. Comme j'avais un bon sac de couchage et deux jours de vivres dans mon sac à dos, j'ai décidé de rester sur place pour voir venir nos éventuels assaillants.

— Des assaillants qui étaient toujours au lac Shikapio lorsque j'y suis arrivé, ajoute Atsen. Je me suis creusé une niche dans la neige d'un talus et je l'ai aménagée tout confort. J'y ai passé plus de vingt-quatre heures, mais j'avais de quoi lire.

Björn reprend la parole.

— Pendant que tu lisais, j'arpentais les parages. À la brunante, j'ai pris le chemin du lac Lagopède. J'ai passé la nuit dans la cabane en ruine. Où as-tu dormi, Vigdis ?

— Sur le traîneau, sous sa toile. Un vrai palace ! Je ne me suis réveillée qu'au moment où s'endormaient les étoiles.

— À peu près en même temps, je rejoignais à nouveau le croisement des pistes pour reprendre mon guet, poursuit Björn.

— On commençait alors à s'agiter sur les bords du lac Shikapio, dit Atsen.

— Du café ? demande Vigdis à la ronde.

« Tiens, tiens ! Voilà que Mademoiselle daigne se mettre au service des autres, me suis-je dit. Décidément, mon premier jugement n'était pas très bon. »

Nous sirotons notre café en silence, heureux tout simplement. Le repos des guerriers.

— Quand les as-tu vus passer ? demande Leifr à son père.

— Vers les onze heures. Mais ils n'étaient que deux, sur une seule motoneige. Ils ont poursuivi sur une couple de kilomètres puis se sont arrêtés. Pour attendre les autres, je suppose.

— Tu as dû entendre les coups de feu.

— Oui, mais je croyais qu'ils tiraient sur du gibier et non sur toi, Leifr. Toujours est-il que les autres ont fini par les rejoindre : une dizaine d'hommes sur un traîneau tiré par une grosse motoneige. À leur suite, j'ai repris le chemin de l'Ermitage. C'était en fin d'après-midi.

— Un peu auparavant, j'avais saboté leurs avions, dit Atsen. Je tirais de mon abri. Les deux hommes, restés sur place, couraient en tous sens. Et toi, Björn, comment t'y es-tu pris ?

— Les imbéciles avaient laissé leurs maudites machines sans surveillance. Je me suis servi de l'essence d'un réservoir que j'ai siphonnée dans ma gourde à l'aide d'un tube fabriqué avec de l'écorce de bouleau. Comme les deux motoneiges étaient rapprochées, une allumette a suffi.

— Et moi, j'ai logé une douzaine de balles dans chaque réservoir, ajoute Atsen. Je doute qu'ils puissent décoller. Sur le chemin de l'Ermitage, j'ai rencontré Vigdis. Tu connais la suite, Patrick.

J'ai quitté les Otish dix jours après la journée mouvementée que je viens de vous raconter. Atsen nous a conduits à Nitthequon, Vigdis, Leifr et moi.

— J'ai bien réfléchi, m'a dit Vigdis à Nitchequon. Je ne retournerai pas à l'Ermitage.

Björn a un temps espéré, mais en vain, qu'un de ses enfants lui succède à la tête de son entreprise. Enfin résigné, l'été suivant notre départ, il a quitté l'Ermitage pour un camp de bois rond qu'il a construit près de celui d'Atsen, au lac Naococane.

— On s'écrira régulièrement, m'avait dit Vigdis, à l'aéroport de Dorval, lors de mon départ pour la France avec ma mère.

Vous savez comment est la vie ; nous l'avons fait quelques fois, puis nous avons cessé.

ÉPILOGUE

COMME JE L'AI ÉCRIT EN PROLOGUE DE CE RÉCIT, VIGDIS SE PORTE BIEN. ELLE EST MARIÉE, A UN FILS DE HUIT ANS ET habite Montréal où elle enseigne le piano.

Leifr fait carrière à l'observatoire du lac Mégantic, au Québec. Il doit venir à Paris, la semaine prochaine. Pour un congrès. Nous dînerons ensemble.

Qu'est-il advenu de l'Ermitage ? Leifr ne m'en a rien dit au téléphone. Je le lui demanderai quand nous nous reverrons.

Pour garder le contact avec le Québec, je me suis abonné à un hebdomadaire montréalais. La semaine dernière, on y mentionnait la création d'une usine de traitement de diamant brut à Matane. Une petite ville aux portes de la Gaspésie, je crois.

Aurait-on découvert le fameux filon de Björn et de Marcel Fortunat ?

Il se pourrait bien que oui...

Dans la collection Graffiti

10. *Coeur de glace,* roman de Pierre Boileau, Prix Littéraire Le Droit 2002
11. *Un cadavre stupéfiant,* roman de Robert Soulières, Grand Prix du livre de la Montérégie 2003
12. *Gigi,* récits de Mélissa Anctil, Finaliste au Prix du Gouverneur Général du Canada 2003
13. *Le duc de Normandie,* épopée bouffonne de Daniel Mativat, Finaliste au Prix M. Christie 2003
14. *Le don de la septième,* roman de Henriette Major
15. *Du dino pour dîner,* roman de Nando Michaud
16. *Retrouver Jade,* roman de Jean-François Somain
17. *Les chasseurs d'éternité,* roman de Jacques Lazure, Finaliste au Grand Prix du Fantastique et de la Science-fiction 2004, Finaliste au Prix M. Christie 2004
18. *Le secret de l'hippocampe,* roman de Gaétan Chagnon, Prix Isidore 2006
19. *L'affaire Borduas,* roman de Carole Tremblay
20. *La guerre des lumières,* roman de Louis Émond
21. *Que faire si des extraterrestres atterrissent sur votre tête,* guide pratique romancé de Mario Brassard
22. *Y a-t-il un héros dans la salle?* roman de Pierre-Luc Lafrance. Traduit en espagnol
23. *Un livre sans histoire,* roman de Jocelyn Boisvert, sélection White Ravens 2005
24. *L'épingle de la reine,* roman de Robert Soulières
25. *Les Tempêtes,* roman de Alain M. Bergeron, Finaliste au Prix du Gouverneur Général du Canada 2005
26. *Peau d'Anne,* roman de Josée Pelletier
27. *Orages en fin de journée,* roman de Jean-François Somain
28. *Rhapsodie bohémienne,* roman de Mylène Gilbert-Dumas

d Queneau,
vens 2006
ron

31. *Les neuf Dragons*, roman de Pierre Desrochers. Finaliste au Prix des bibliothèques de la Ville de Montréal 2006
32. *L'esprit du vent*, roman de Danielle Simard, Prix du jury de l'Association des auteurs de la Montérégie 2006.
33. *Taxi en cavale*, roman de Louis Émond
34. *Un roman-savon*, roman de Geneviève Lemieux
35. *Les loups de Masham*, roman de Jean-François Somain
36. *Ne lisez pas ce livre*, roman de Jocelyn Boisvert
37. *En territoire adverse*, roman de Gaël Corboz
38. *Quand la vie ne suffit pas*, recueil de nouvelles de Louis Émond
39. *Y a-t-il un héros dans la salle N° 2 ?* roman de Pierre-Luc Lafrance
40. *Des diamants sous la neige*, roman de Gérald Gagnon

Imprimé sur du papier 100 % postconsommation, traité sans chlore, accrédité Éco-Logo et fait à partir de biogaz.

Achevé d'imprimer
sur les presses de Marquis Imprimeur
en janvier 2007